18 PRINCÍPIOS PARA VOCÊ EVOLUIR

18 princípios para você evoluir

2ª edição: Novembro 2023

Autor:
Charles Mendlowicz

Preparação de texto:
Lays Sabonaro

Revisão:
Debora Capella
Iracy Borges

Projeto gráfico:
Jéssica Wendy

Capa:
Dimitry Uziel

Foto de capa:
Alexandre Olivares

DADOS INTERNACIONAIS DE CATALOGAÇÃO NA PUBLICAÇÃO (CIP)

Mendlowicz, Charles
18 princípios para você evoluir : por que você nasceu para atingir o seu máximo potencial / Charles Mendlowicz. — Porto Alegre : Citadel, 2023.
208 p.

ISBN: 978-65-5047-267-2

1. Autoajuda 2. Desenvolvimento pessoal 3. Sucesso I. Título

23-6045 CDD - 158.1

Angélica Ilacqua - Bibliotecária - CRB-8/7057

Produção editorial e distribuição:

contato@citadel.com.br
www.citadel.com.br

CHARLES
MENDLOWICZ
o economista sincero

18 PRINCÍPIOS PARA VOCÊ EVOLUIR

POR QUE VOCÊ NASCEU PARA ATINGIR O SEU MÁXIMO POTENCIAL

2023

Sumário

Para Norberto e Celina, com amor, sempre

Prólogo

Às vezes o mundo não te "quebra" na hora, ele vai te envergando aos poucos a ponto de você se sentir paralisado ou perdido. Nessas horas, a rotina e a disciplina são os melhores antídotos para você voltar para o "jogo" e reencontrar o caminho para a sua EVOLUÇÃO.

O ano em que definitivamente tudo deu errado para mim foi 2013. Pela primeira vez na minha vida – na qual eu acreditava que estava tudo certo, afinal eu tinha estabilidade, sempre fora bem-sucedido no âmbito profissional e estava em um sólido e duradouro relacionamento –, me senti perdido. Eu me vi sem saber exatamente o que fazer; já sabia o que eu não queria, mas não tinha clareza do que eu seguiria fazendo dali em diante.

Quando você não sabe o que vai fazer da vida porque é uma pessoa perdida, não quer trabalhar ou não quer estudar, não há muito realmente o que fazer. Agora, quando você não sabe o que quer fazer depois de ter tido uma carreira brilhante e muito dinheiro e construído algo, o processo de encarar tudo isso se torna ainda mais difícil. Afinal, quem sempre foi perdido geralmente vive bem com essa realidade. Mas quando você já atingiu algum lugar, como fica depois?

Eu estava animado naquele início de 2013. Decidi que era hora de investir em um sonho antigo ligado à minha paixão pela culinária e por vinhos, então embarquei em uma formação profissional em *boulangerie* e *sommelier* com duração de seis meses em Curitiba, a cerca de uma hora e meia de onde eu morava, em Joinville, Santa Catarina. *Mas, Charles, como assim!? Você não é economista?* Calma, que tudo isso já vai fazer sentido.

Havia acabado de passar os catorze anos anteriores me dedicando ininterruptamente ao mercado financeiro e varejista, chegando a me tornar superintendente comercial de uma das maiores empresas financeiras da época, entre 1998 e 2008, onde comecei como estagiário. Em seguida, passei a ser coordenador comercial e depois gerente de uma das maiores indústrias de bebidas do mundo – sim, a Coca-Cola. Conheci mais de mil negócios pelo Brasil afora, ganhei muito dinheiro, acumulei uma série de formações na minha área de atuação (incluindo dois MBAs em boas instituições, além de lecionar em duas universidades) e milhares de horas de trabalho, vivendo num constante *looping* operacional que por muito tempo também de alguma forma me serviu de escudo.

Parecia estar tudo certo, como sempre tive o costume de encarar a vida, mesmo tendo acumulado generosos 130 quilos que me deixavam bastante cansado, além de carregar alguns problemas de saúde derivados de uma vida regada a trabalho excessivo, falta crônica de exercícios e aquela compulsão alimentar básica que fazia parte do pacote de autodestruição que a gente quase nunca percebe que leva para casa em certos momentos da vida, ou às vezes ao longo dela toda mesmo. Mas quando 2011 chegou, junto vieram os primeiros e maiores abalos sísmicos da minha jornada, e foi assim que comecei a forçadamente ter que acordar.

Esse ano marcou a minha saída da Coca-Cola, onde eu vinha crescendo muito, e esse foi o primeiro ponto que deu aquela abalada geral, mas ainda assim resolvi seguir em frente. Cheguei a receber convites para voltar ao mercado financeiro logo que fui desligado da empresa, porém não me senti confortável com a ideia depois de ter me desiludido com algumas coisas que vi e sabia como funcionavam; já não suportava mais.

Então, quando percebi que a situação começou a ficar ainda mais séria, a ponto de admitir para mim mesmo que eu não queria mais trabalhar nem com banco nem com bebida, surgiu aquela inquietação para empreender. "Pronto, é isso, vou abrir um novo negócio!" Motivado pela minha paixão por cozinhar, me apeguei a esse pensamento e comecei 2013 já usando os recursos que havia aplicado ao longo dos últimos anos para pôr o plano de especialização em *boulangerie* em prática. Afinal, apesar de adorar fazer brownies, bolos e tortas, não era um assunto que eu dominava profissionalmente a ponto de abrir um negócio na área.

Daí você pensa assim: ano novo, vida nova. Sério, eu quis muito acreditar nisso, mas sabe o que é não dar nem tempo de saborear o gosto da mudança? Pois foi exatamente isso que me aconteceu ao longo de 2013. Nos meses que se seguiram, os abalos começaram a ficar cada vez mais intensos até o chão do meu mundo inteiro se abrir. Se você já passou por momentos de perdas consecutivas ou conhece alguém que viveu algo parecido, com certeza vai entender como isso tudo pode nos deixar à beira da loucura.

Março de 2013. Só me lembro que cheguei às pressas, voando de Curitiba para o Rio a tempo apenas de me despedir do meu avô, Norberto Mendlowicz, também conhecido como Seu Norberto, que nos últimos meses lutava contra um câncer. Meu avô era meu pai, pois meu pai biológico havia nos deixado quando eu ainda era muito pequeno. Se não fosse o Vô Norberto, um típico judeu que fugiu para o Brasil antes da Segunda Guerra Mundial, eu não teria tido uma figura paterna que simplesmente me ensinou grande parte das coisas que eu sei. Até os meus vinte e poucos anos, meu avô me cobrava muito para ser alguém na vida; em meio a toda a correria do dia a dia, os lanches de domingo na casa da minha avó Cyrla Mendlowicz (Dona Celina) eram o nosso ponto de encontro. Passávamos horas conversando, pois ele sempre se interessava muito por tudo que eu fazia. "E aí, Charles? Está batendo as suas cotas?", me perguntava ele sobre minhas metas no trabalho. O meu jeito conciliador, que quem me conhece sabe que tenho, puxei dele, assim como o gosto por viver e prosperar na vida. Ele era um cara incrível, uma vida inteira dedicada à família, à caridade e ao trabalho.

Hoje ainda me custa lembrar da sua partida, porque naquele momento deixei mais uma vez que o rolo compressor que vinha sendo a minha vida passasse por cima de tudo e logo me colocasse no modo de funcionamento automático. Segui do funeral de volta para Curitiba a fim de continuar na formação em que havia ingressado.

Eu realmente queria voltar à minha rotina e convencer a mim mesmo de que estava tudo bem de novo; entretanto, como aquele ano não veio em minha vida a passeio, pouco tempo depois a morte voltou a me assombrar.

O Scabuska estava com seis anos, sem problemas de saúde e seguindo sua vida normal de cachorro. Ele adorava o canil em que ficava, já que eu e Patrícia tínhamos compromissos profissionais que nos tiravam de casa por um longo período. Em um belo dia, foi de lá que nos ligaram: "Vocês precisam vir correndo, ele não está nada bem".

Não deu tempo de fazer muita coisa. Dali a alguns dias perdemos o nosso Golden Retriever, que tínhamos praticamente como um filho, sem muita explicação do porquê isso acontecera; apenas soubemos que foi uma doença fulminante. A minha maior dor é que nos anos anteriores eu tinha passado pouco tempo com ele; em apenas poucos meses, estaríamos juntos todos os dias, mas não deu tempo. Ele foi arrancado de mim. Em março perdi meu avô e, em maio, meu cachorro – que, acreditem, ria quando me encontrava...

Cara, foi pesado. Sentia o desequilíbrio me consumindo cada vez mais pelas beiradas. Não parecia possível piorar mais tudo aquilo que eu já vinha sentindo desde a perda do meu avô. Então mais uma vez silenciei a dor e só segui em frente. Eu precisava seguir. O curso e a ideia de abrir um negócio estavam lá para me manter no foco e não parar. Não tinha a menor ideia do que fazer se eu parasse para pensar no que estava acontecendo.

Quando finalmente chegamos na metade de 2013, eu pela primeira vez consegui me sentir feliz de verdade ao ouvir: "Amor, estou grávida! Conseguimos!". Era isso! Aquela maré tenebrosa estava acabada; eu enfim iria realizar o meu grande sonho de ser pai!

Já havíamos perdido outras duas gestações (2010 e 2011), aquela era a terceira vez que minha esposa ficava grávida. Nós queríamos muito, sempre quisemos. Mas, em agosto de 2013, veio mais uma bomba: perdemos nosso terceiro filho. Eu me tornei um filho sem pai, e um pai sem filhos, tudo ao mesmo tempo. Perdi pai (avô), cachorro e filho.

Esses são os momentos que nos fazem duvidar de tudo, e já não era mais possível eu usar a minha rotina como pretexto para não encarar o que estava acontecendo comigo. Meu avô, que era a minha figura paterna e uma pessoa incrível; meu cachorro, que morreu sem explicação lógica; meu filho, que não tive a chance de conhecer pela terceira vez consecutiva. Por que eu tinha perdido simplesmente tudo em um intervalo tão curto de tempo?

Em agosto, eu havia completado a tal formação em *boulangerie* e *sommelier*, mas a verdade é que já não via mais sentido em muita coisa que eu andava fazendo. Até que certo dia, vendo TV, minha memória me levou a uma experiência que tive em 2008, quando fiz um intercâmbio na África do Sul para melhorar meu inglês; essa acabou sendo uma experiência muito transformadora, que marcou um encerramento de ciclo na minha vida.

"Por que eu não viajo novamente?", pensei. Eu queria encontrar uma forma de sair daquela situação na qual me encontrava antes que eu surtasse de vez, e claro que quem procura acha. Foi assim que comecei a pesquisar roteiros naquele mesmo dia; e sabe aquelas propagandas que só parecem ser aleatórias, saltando nas laterais da sua página de pesquisa? Eu encontrei meu destino.

“Santiago de Compostela... parece legal”, disse comigo mesmo. Sempre falo para as pessoas que não pesquisem sobre o Caminho de Santiago de Compostela, porque se o fizerem esse lugar vai sugá-las para lá, e comigo não foi diferente. Comecei a pesquisar e logo achei filmes, documentários, livros, e assim que terminei de ver todas essas coisas, senti: “Eu preciso ir para lá”.

Já era final de agosto, quase setembro, e o Caminho de Santiago de Compostela praticamente fecha em novembro por questões climáticas – começa a nevar muito na região e a travessia fica impossível –, ou seja, ou eu iria em outubro ou somente no ano seguinte. Assim, faltando menos de dois meses, sem experiência nenhuma no assunto e zero preparo físico para encarar os oitocentos quilômetros de percurso, comprei naquele mesmo dia a passagem, uma mochila, um par de botas e um cajado; na sequência avisei minha mulher sobre o que eu estava prestes a fazer.

Fiz uma loucura, porque o normal para quem decide embarcar numa jornada dessas é se preparar pelo menos uns dois ou três anos antes, estudar o caminho, pesquisar o que se deve fazer, e não sair apenas comprando uma mochila e um par de botas e logo se aventurar pelo caminho como eu fiz.

É difícil explicar. Apesar de parecer uma fuga, na realidade eu sentia apenas que tinha que sair de onde eu estava e ir para outro lugar. Além disso, tudo aquilo não deixava de ser um desafio, porque envolvia muitos fatores. Um dado curioso é que para muitos o caminho é uma rota religiosa cristã, e eu sou judeu. Mas o caminho é inclusivo para todos que buscam fazer um processo de expiação, que no fundo foi o que fui fazer sem saber, no final das contas, que também envolvia isso.

Eu precisava botar tudo para fora, e o Charles que foi não foi o mesmo que voltou.

25 de outubro de 2013. Após acabar de chegar ao aeroporto de Barajas, em Madri, peguei a minha mala correndo; o trem já iria partir e eu não poderia (ou deveria) estar cansado no dia seguinte.

Eu precisava chegar em Saint-Jean-Pied-de-Port, um vilarejo francês aos pés dos Pirineus, onde começaria uma jornada a pé para cruzar todo o território espanhol nos quase oitocentos quilômetros do Caminho de Santiago de Compostela. Tinha apenas poucas informações, sabia que o primeiro dia era o mais duro, com 21 quilômetros de subida e mais seis quilômetros de descida, cruzando a fronteira entre França e Espanha pela rota de Napoleão.

Tudo corrido e confuso para quem não estava preparado (zero preparado mesmo) para aquilo. Na realidade, eu estava destruído, totalmente destruído, física e emocionalmente.

Cresci com o lema do Rocky Balboa ("Não importa o quanto você bate, mas sim o quanto você aguenta apanhar e continuar"), e até 2013 eu consegui resistir, apanhar e levantar. Eu simplesmente apanhava e continuava; consegui estudar, trabalhar, crescer e ganhar mais dinheiro do que imaginei que poderia ganhar. Mas 2013 veio de forma devastadora, e eu não resisti.

I

Introdução

Loucura. É assim que defino quando nós temos o propósito bem diante da nossa cara, mas não fazemos o que viemos fazer neste mundo.

Chegou um momento na minha vida em que passei a trabalhar com comida, com vinho, com uma série de coisas aleatórias, quando na realidade desde novo sempre gostei dos dois mesmos assuntos: economia e tecnologia; especialmente tecnologia e redes sociais, não à toa tive a minha BBS em 1994. Contudo, toda hora eu me afastava das minhas verdadeiras paixões (e aposto que você já fez o mesmo).

A loucura maior é que eu fui um dos primeiros caras a postar, lá em 2007, um vídeo no YouTube; e sabe de quê? Do meu cachorro Scabuska, brincando ainda filhote. O YouTube havia sido criado há pouco tempo, e poucos brasileiros subiam vídeos na plataforma ainda, e sabe por que fui um dos primeiros brasileiros a ter conta no canal, além de um dos primeiros em Orkut, Facebook e Instagram? Porque sempre fui fanático por tecnologia.

Agora você me pergunta: "Tá, Charles, então por que você ignorou isso por tanto tempo?". Realmente, só comecei a trabalhar com tecnologia em 2017, mas agora, voltando no tempo e analisando tudo isso, me dou conta de que, na realidade, por anos e anos lutei contra aquilo que eu realmente vim fazer neste mundo. Procurei uma porrada de coisas, mas nada andava. Mas também é porque não tinham que andar mesmo, afinal não estavam alinhadas com o meu propósito. Por outro lado, eu não poderia ajudar as pessoas como faço hoje se eu não tivesse sofrido um pouco com isso, porque eu não iria entendê-las. Por exemplo, quando alguém me procura e diz que perdeu dinheiro no mercado financeiro, eu sei do que se trata porque já estive nesse lugar. Então a partir do momento que despertei a consciência para essa questão do propósito, soube que não poderia mais deixar as outras pessoas passarem tanto tempo fora do propósito delas como eu mesmo fiquei.

Ao longo desses anos em que venho conversando com as pessoas, que me procuram para falar sobre dinheiro e investimentos, percebo que todo mundo quer ganhar dinheiro, todo mundo quer mudar de vida, quer ter uma casa melhor, um carro melhor, um emprego melhor, as finanças domésticas mais bem resolvidas; só que, na minha visão, vivência e experiência tanto pessoal quanto profissional, se você não mudar algumas coisas fundamentais primeiro, não vai conseguir conquistar nada disso.

As pessoas querem fazer as coisas começando pelo final, mas temos que começar pelo princípio. Então não adianta falar sobre ganhar dinheiro, trocar seu Fiesta 2007 por um zero KM, ou se vale a pena comprar ou financiar um apartamento na planta em 420 meses se você não está fazendo o básico, ou melhor, se você nem entendeu o básico ainda. Não adianta querer ganhar algo sem viver o processo. Nessa fórmula, a conta não fecha, pois primeiro você precisa conquistar as ferramentas que possibilitarão a você chegar aonde quer estar.

Para você chegar a algum lugar, como a essas mudanças de finanças, carreira e vida mesmo que você está buscando, que eu sei, precisará seguir um caminho; e tudo que contarei aqui neste livro, por meio de dezoito princípios básicos, nada mais é do que a trilha que o levará em direção ao lugar aonde você quer chegar. Não quer dizer que essa trilha vai ser tranquila; então se prepare, porque vai chover, vai ventar, vai fazer sol demais, mas o lado bom é que você terá finalmente um caminho para seguir.

Durante todo o tempo em que estive fora dessa rota que me levou a encontrar meu propósito, cheguei a fazer certas insanidades, como não viver um ano inteiro da minha vida de uma maneira minimamente normal. Em 2008, não parei de funcionar durante os 365 dias que se seguiram. Eu estava recém-contratado na nova empresa e rodava o Brasil inteiro a trabalho, além de me dedicar a um MBA e viajar todos os finais de semana de Santa Catarina até Curitiba. Engordei porque nunca prestava atenção ao que comia, nem sabia o que era atividade física; não dormia direito porque a cabeça não dava uma folga sequer, já pensando na entrega do dia seguinte, e logo o corpo começou a dar aqueles sinais de pane, me fazendo ir certa vez a uma farmácia por conta de um baita mal-estar quando a pressão chegou a bater 18/10. Era como se eu estivesse em uma bicicleta na qual não podia parar de pedalar senão eu cairia e me arrebentaria todo. Sem sombra de dúvida, foi o ano mais louco da minha vida.

Daí você me pergunta: "Mas por que você vivia assim, Charles? Qual era o sentido disso?". Na realidade, não deu nem tempo de pensar se tudo aquilo que eu fazia era na intenção de construir algo, como na história da semeadura, ou seja, plantar e colher, porque eu ainda não tinha a clareza do porquê eu estava fazendo tudo aquilo e principalmente daquela forma, quase me matando. Mas é importante lembrar que muitas das coisas que fiz contribuíram para o meu crescimento. Agora acredito que fique mais claro o motivo de eu ter ido parar no Caminho de Santiago de Compostela, pois eu literalmente queria encontrar um rumo na minha vida; a saída que encontrei naquela época foi viver no concreto todas as intempéries do meio do caminho para finalmente entender que, se eu não tivesse um propósito para fazer as coisas, absolutamente nada teria sentido, e eu não estaria vivo.

Como já contei diversas vezes, sou judeu. Cresci na cultura judaica por influência dos meus avós, chegando a ser alfabetizado em português e hebraico na infância. Fiz meu Bar Mitzvá, frequento sinagogas sempre que posso, e guardei muitos dos princípios do judaísmo ao longo da minha vida, tornando-me talvez um dos maiores praticantes da família, apesar de isso nunca ter sido uma imposição na minha criação. Falo sobre esse assunto com tranquilidade porque em muitos momentos foi a minha fé em Deus que me amparou, e até digo que, se houver outras vidas, a única coisa que gostaria de repetir seria vir com essa mesma fé dentro da minha religião.

Não só percorrer o Caminho de Santiago mudou a minha vida como também reconhecer os princípios que a norteariam para que eu descobrisse o que realmente tinha que fazer com a minha existência foi o ponto determinante da virada. O processo de reflexão que experimentei durante aquela jornada me fez voltar a sentir o que eu andava com dificuldade de sentir depois de tanta paulada que havia tomado naquele último ano. Voltei a me sentir "vivo".

A vida é o que temos de mais importante neste mundo, tanto que sempre ao iniciar o meu dia já faço *stories* para a galera do Instagram perguntando se ela já viu como o dia está lindo lá fora e se "já agradeceu por mais um dia de vida". Você mesmo que está lendo este meu livro agora, já prestou atenção nisso? Já pensou que simplesmente vai chegar um dia em que todos nós vamos dormir e nunca mais vamos acordar? Qualquer outra coisa na sua vida pode estar com problema, mas, se você não estiver vivo, simplesmente acabou.

Quando me dei conta disso, de que a vida é o que temos de mais importante, compreendi ainda mais o significado da palavra "chai", que em hebraico significa "vivo". Não só "chai" significa "vivo", como seu correspondente numérico é "dezoito", em razão das palavras que o formam, "*Yod*" (dez) e "*Het*" (oito). Por algumas explicações rabínicas, tudo que está vivo está em movimento, e em constante processo de evolução, e o número 18 concentra tudo isso.

Partindo dessa constatação de que tudo está ligado a essa centelha divina que é a nossa própria vida, finalmente compreendi que deveria seguir por alguns princípios básicos, que foi o que fiz nos últimos anos até chegar aonde estou neste exato momento, e também compartilhá-los com todas as pessoas, pois, do contrário, nada faria sentido.

Eu digo uma coisa a você: se no meu passado eu tivesse o conhecimento que vou compartilhar ao longo deste livro, eu teria seguido o meu propósito muito antes e evitado sofrer uma porrada de dores. Você verá que nenhum dos 18 princípios que descreverei serão aleatórios; prepare-se para praticar um a um na sua vida a partir de hoje. Outro ponto importante é que não estou pedindo que você faça nada extremo, como andar descalço na brasa arriscando queimar a sola do pé. Estou pedindo que você apenas se dê uma oportunidade e experimente uma nova rota, um novo caminho que vai te levar a sua melhor versão, ao seu propósito.

Todas as pessoas que conheci na vida bem resolvidas e bem-sucedidas, assim como eu, passaram por essa rota.

Portanto, não adianta buscar atalhos. Chega de enrolação, porra! Chegou a hora de você virar a chave e mudar de vida.

Vem comigo, confia no Charlão e se despeça da sua versão fodida.

Vou te mostrar um caminho rumo a uma vida próspera.

Prepare-se, a sua EVOLUÇÃO começa agora.

Princípio 1

A responsabilidade é toda sua
(pelo menos daqui para a frente)

Vou começar este capítulo soltando esta: se você acha que a responsabilidade não é sua, já pode fechar este livro. "Porra, Charles, que ignorância", alguém mais sensível pode dizer já na autodefesa, mas deixe-me explicar por que fui logo disparando essa realidade. Se você não acha que a responsabilidade depende de você, mas sim da sua mãe, do seu pai, do avô, do marido, da mulher, do noivo ou da noiva, se você depende de alguém para que seus planos funcionem, ou culpa alguém por você não evoluir, não adianta nada seguir os princípios descritos neste livro, porque você acredita que não depende de você, mas sim de um terceiro.

Olha que legal, vou ainda facilitar a sua vida aqui, porque nesse princípio da autorresponsabilidade eu explico que a responsabilidade é sua pelo menos daqui para a frente. Porque se você, antes da leitura deste livro, achava que seu problema era porque seu pai não te dava apoio profissional, ok, eu te perdoo. Mas a partir de agora não tem mais essa de achar que a responsabilidade é de todo mundo menos sua. Do contrário, de que adianta eu falar o que você tem que fazer se o seu pai continuar não te apoiando? Só conseguimos evoluir quando entendemos que ônus e bônus dependem apenas da nossa responsabilidade e de ninguém mais.

Cheguei a contar em outros lugares a história que vou compartilhar com você agora. Quando o judeu completa treze anos, ele faz uma festa chamada Bar Mitzvá, e nesse dia deve ser feita uma reza que tem a importante função de demonstrar que aquela criança judia já sabe ler e, daquele momento em diante, tem certas responsabilidades. Isso ao longo dos anos ajudou muito o povo judeu, porque as crianças dos outros povos ainda não sabiam ler; isso contribuiu muito para o desenvolvimento cognitivo do povo judaico, afinal de contas era um hábito.

Muito bem. Quando chegou minha vez de passar pelo Bar Mitzvá, eu tive que aprender essa reza; precisei estudá-la, o que normalmente ocorre por cerca de seis meses antes da cerimônia. Eu estava com doze anos e comecei a estudar, naquela época por meio de fita cassete, e sabe como funcionava?

Eu tinha uma professora de reza, e nós rezávamos juntos, eu com aquela voz esganiçada de homem adolescente, meio grossa em um momento e fina em outro, uma coisa bem horrenda mesmo, mas ela me ensinava a reza e eu gravava a fita cassete e levava para casa. Na aula seguinte eu tinha que mostrar que havia aprendido a cantar aquela reza. Logo nas primeiras aulas, fomos lá e rezamos, a professora me deu a fita; na aula seguinte, quando eu entrei na sala, ela perguntou: "Você estudou a reza?", Meio trêmulo eu respondi: "Não". Quando fui tentar explicar, ela já me cortou dizendo: "Olha, não me interessa se papai está doente, se mamãe não conseguiu trabalhar, se seu cachorrinho passou mal. Se você não estudou, você pode ir embora". E olha que ainda tentei falar alguma coisa ali na hora para não ficar naquela situação, mas ela foi fulminante: "Não, não. Pode ir embora. Para mim está tudo bem, porque eu já sei rezar. Mas quando chegar o dia da sua festa, é você quem tem que saber rezar, não sou eu".

Qual foi o resultado? Você acha que eu aprendi a rezar ou não? Nunca mais perdi uma reza! Estudei todas; isso tem mais de trinta anos, e eu me recordo como se fosse hoje. Essa professora não me ajudou só na reza; a ajuda dela foi em muitas outras coisas na vida. E o que muita gente só aprende depois de velha e que agora vai aprender com o meu livro é que a responsabilidade é sempre nossa, cada um com a sua. No meu caso, não adiantava eu culpar fulano ou beltrano, porque no final das contas quem rezaria ali no dia seria eu.

Então se você, lendo este livro, acha que no auge dos seus 25 anos, algum projeto seu não dá certo porque seu pai e sua mãe não te apoiam, parabéns para esses dois, porque eles estão certíssimos em não te apoiar; você está entendendo a vida de maneira errada. Por isso é que não tem como pensar em outra coisa para começar esses princípios a não ser com essa percepção de que depende de você, porra!

Enquanto você reclama e se justifica, afirmando que não está realizado em sua vida por falta de apoio de alguém, quem é que você está apoiando nesse momento? Já chegamos em um ponto em que começamos a achar que as pessoas, que já têm seus próprios problemas e estão precisando de apoio, deveriam estar nos apoiando, pensando na gente, focando a vida delas em nós, quando na realidade todo mundo está travando a sua própria batalha. Portanto, pare de ficar cobrando apoio dos outros. Bacana se isso acontecer, mas, quando você joga o peso no outro, fica cômodo demais. "Ah, não dei certo por causa de fulano, beltrano, ou sicrano."

Outro ponto importante é no âmbito profissional. "Poxa, Charles, estou trabalhando há dez anos na mesma empresa e não sou promovido, meus chefes não me valorizam!" Daí eu respondo: cara, seus chefes estão certíssimos! O que você está fazendo de diferente? Você está estudando? Está chegando mais cedo e saindo mais tarde? Buscando aprender coisas novas? Sugerindo soluções ou apenas todos os dias "batendo cartão"? Se você está há dez anos sem evoluir, o problema é seu e do seu chefe que ainda não te mandou embora! Eu já teria dispensado você!

De onde vem a autorresponsabilização

A autorresponsabilização nasce no processo da conscientização. É por isso que ele pode ser feito no ato da leitura desse princípio, e a minha preocupação com as pessoas é porque muitas vezes nós tiramos conclusões na vida sobre alguma coisa sem ter todas as informações necessárias para isso. Eu entendo aquela pessoa que não teve contato comigo, ou com outro especialista, achar que tudo na vida dela é uma merda por causa dos outros. Mas a partir do momento que ela se dá conta do que estou explicando aqui, ela está avisada.

Observe mais este exemplo. Se eu estou andando em uma estrada, e o meu carro derrapa em uma curva porque não tinha uma placa sinalizando uma curva perigosa, em parte a culpa não é minha; porém, se há sinalização e eu derrapo, a culpa é totalmente minha, sim. Então, quando eu aviso a você que a responsabilidade é sua a partir de agora, estou te dando essa placa. Se até aqui você estava derrapando por falta de orientação, ou um mapa para seguir, tudo bem, eu entendo. Agora, se você está lendo este livro, depois destas páginas achar que a culpa de não conseguir algo é de outra pessoa e não sua, na boa, você não entendeu nada, volte e releia porque a responsabilidade é só sua, de ninguém mais, entendido?

É isso mesmo, acabei de soltar essa bomba no seu colo, dizendo que a culpa é toda sua, mas o mérito também é todo seu. Eu cheguei com essa responsabilidade para você, mas a coisa legal é que você está melhor do que a maioria das pessoas neste momento, porque, em termos comparativos a gente sempre pode achar alguém que está pior, e o mundo melhorou muito nos últimos anos. Segundo dados registrados no *Factfullness*, em 1800, cerca de 85% da população mundial viviam na extrema pobreza, e com baixa expectativa de vida. Hoje nós vivemos muito melhor do que os reis viviam há cem anos; basta pegar o histórico da parte sanitária, de alimentação e de saúde em geral.

Apesar dessa banana de dinamite que botei agora na sua mão dizendo que a responsabilidade é sua, o ponto é que o mundo está muito melhor para se viver hoje em dia. Então pare de reclamar de tudo! Hoje há uma forte tendência de se dizer "Caramba, o mundo nunca foi tão ruim", "Nossa, quanta fome e quanta miséria", mas daí eu te pergunto: com base em que as pessoas estão falando isso? Eu estou falando que o mundo nunca foi tão bom, mas me baseio em números. E ao falar uma coisa dessas, note que eu também tiro a possibilidade de a pessoa culpar o mundo, porque ela pode falar "eu sei que a responsabilidade não é da minha mãe nem do meu pai, mas é que o mundo também está uma merda". Não, não está! Para a sua sorte, o mundo está melhor e, para ver como isso é possível, dê uma olhada no gráfico a seguir.

Taxa de extrema pobreza de 1800 até hoje

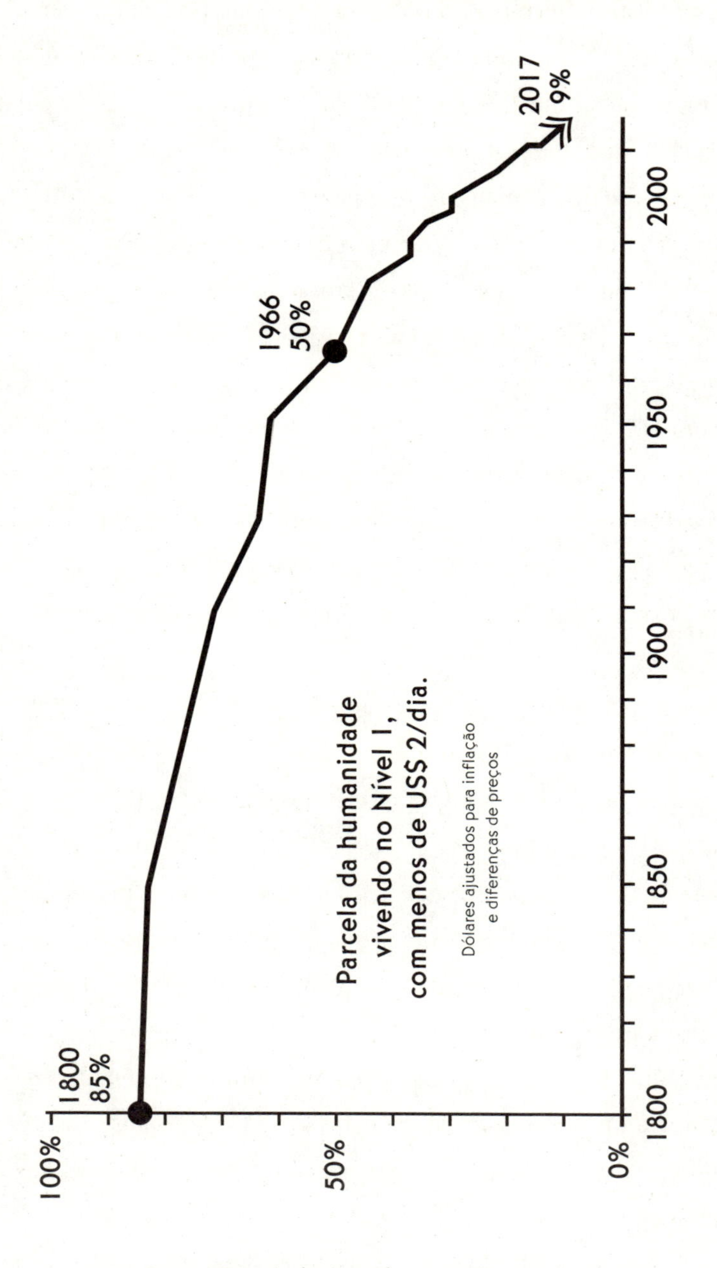

Fonte: Gapminder, com base em Bourguignon e Morrisson, Banco Mundial e OurWorldInData.

Princípio

Siga o seu propósito

Eu já contei aqui que colapsei em 2013 porque não estava vivendo o meu propósito, mas quando comecei a segui-lo as coisas aconteceram para mim. Agora não significa também que você deve se preocupar se estiver seguindo o seu propósito há uma semana e nada tiver mudado para você. Apenas estou dizendo que, ao entrarmos no nosso propósito, a vida começa a andar e a fazer sentido, por isso que, do momento que eu comecei a seguir o meu, em poucos anos a minha vida mudou.

Seguir esse princípio pode parecer bem fácil para quem já se encontrou no mundo, mas e para quem ainda se sente perdido? Vamos lá, para se localizar dentro do seu propósito, o primeiro ponto que você tem que entender é o seguinte: **você é a prioridade sempre**, e depois disso vem o resto, o que é importante deixar bem claro é que não tem nada a ver com o ego. Quando falamos em propósito e você começa a seguir algo, é preciso ignorar o que está ao seu redor, porque se você tentar encaixar o mundo na sua vida, vai acabar bagunçando com ela. Como assim? Simplesmente, você vai começar a pensar em tudo que você tem e conhece nesse momento, por exemplo: "Puxa, mas eu estou aqui nesse lugar agora, eu tenho esse emprego, esse custo de vida, essa família, eu tenho essa casa, esse carro etc.". E se você começar a tentar moldar sua maneira de viver e o seu propósito pelo que está acontecendo na sua vida nesse momento, você pode ficar preso nele pelo resto dos seus dias. Portanto, **dispa-se do mundo para poder pensar no seu propósito.**

Também já contei aqui que converso com muita gente, mas as que são mais difíceis de serem ajudadas são aquelas que dizem: "Cara, mas é que você não sabe, no meu caso é complicado porque eu trabalho, mas ganho pouco, então não consigo fazer isso ou aquilo...". Quando a pessoa começa a dizer que no caso dela é sempre muito pior, isso é querer justificar um fracasso que vai acontecer, e dificilmente você vai conversar com alguém na vida que não teve dificuldade. Esse comportamento acaba sendo uma arma da pessoa, que está se blindando de dar certo. É por isso que existem pessoas que não se dão chance nenhuma de serem bem-sucedidas na vida. Afinal elas nem tentaram.

Além de ter as pessoas que são difíceis de serem ajudadas, tem aquelas que estão ficando malucas, e isso tem acontecido por dois motivos: primeiro porque boa parte não tem propósito, e segundo que tem muito guru dizendo que temos que ter um propósito. As pessoas que estão perdidas na vida, sem um propósito, não conseguem se achar, não sabem o que vão fazer, e hoje em dia todo mundo é fuzilado por essa informação. Por fim, a pessoa até se dá conta de que tem que ter o bendito propósito, mas cadê o manual para consegui-lo?

Você sempre teve um propósito

Eu poderia muito bem dizer aqui "segue a minha dica: encontre o seu propósito" e partir para o próximo capítulo, mas não vou fazer isso com você. Primeiro de tudo, a minha preocupação com você é dividida em duas: quando você não acha o seu propósito, você está estragando a sua vida e a minha também. Daí nesse momento eu sei que vai questionar: "Mas por que eu estou estragando a sua vida, Charles?". É muito simples: porque todo mundo vem à Terra para cumprir algo.

Nós viemos para cumprir alguma missão. Esquece agora a minha religião judaica, esquece a sua cristã, ou umbandista, ou seja lá qual for, esquece. Vamos pensar em termos energéticos. Todo mundo vem ao mundo para cumprir algo a fim de evoluir, logo, se você vem e não evolui está ferrando com a sua vida, com o mundo, e consequentemente atrapalhando a minha vida também.

A partir de agora vamos aqui resolver a vida de todo mundo. Dito que você veio aqui para cumprir uma missão, vamos voltar no tempo. Quando nascemos, já chegamos sabendo qual é o nosso propósito porque ele basicamente é um código que está em nosso DNA, um software que já veio instalado em nosso corpo. Portanto, ***a nossa alma já sabe o que viemos fazer da vida***, mas às vezes somos nós que ficamos brigando com o nosso propósito.

Quer ver como você já veio com o seu propósito instalado aí dentro? Presta atenção nesta pergunta: quando você era criança, o que você gostava de fazer? Volte no tempo e comece a pensar nisso. Quando crescemos, acabamos esquecendo a nossa missão, então é como se não soubéssemos dela. Contudo, já nascemos com isso dado, e a prova de que isso não tem a ver com a criação é o fato de, por exemplo, pegarmos dois gêmeos criados pelo mesmo pai e a mesma mãe, e um quer ser astronauta e o outro jogador de futebol.

Quais eram os hábitos que você tinha quando pequeno? Quais eram os seus hobbies? Com que tipo de brinquedo você gostava de brincar? No colégio, algumas pessoas gostam de história, outras de matemática, e tem até aquele maluco que gosta de física. E cada pessoa gostar de uma coisa diferente já é pista que o mundo está dando sobre o propósito dela.

> Se você está lendo este 2º princípio e já achou o seu propósito, ótimo! Já vem comigo e vamos confirmar se é isso mesmo. Agora, se você não achou, vamos precisar fazer uma jornada de volta, de retorno à sua infância, repensar tudo, trazer memórias perdidas para que possamos trabalhar tudo isso. Do momento que você começa a se esforçar para lembrar, você consegue fazer esse caminho de volta.

Outra coisa muito importante: pare de achar que propósito tem a ver com dinheiro. Não tem essa de que se não for para ficar bilionário não é o seu propósito. Quando eu digo que todo mundo tem uma função aqui na Terra, não necessariamente você se tornará multimilionário com isso, mas ao cumprir o propósito que é seu, você se sentirá muito feliz. Por exemplo, em uma igreja, o padre é importante, o pastor é importante, mas não podemos tirar a importância do baterista da banda, do vigia da noite, porque todos estão cumprindo o seu propósito. Uma babá, que ao longo da vida foi responsável por zelar e cuidar de várias crianças, enquanto seus pais estão fora em seus respectivos trabalhos, existe algo mais nobre do que isso? Quem disse que quem viveu a vida como ascensorista em um elevador teve uma vida medíocre? Se ele viveu feliz dentro do propósito dele, fazendo aquilo com amor e cuidado, ele se encontrou na vida, e viveu realizado. Ele não teve o sonho de ser uma outra pessoa, porque ele simplesmente estava fazendo o que veio fazer neste mundo, e está tudo certo.

Para todas as pessoas no mundo há uma função e um lugar. No que eu sou melhor? Você já pode fazer esse exercício de reflexão, pois ***quanto mais conhecemos o mundo, mais conhecemos a nós mesmos.*** O propósito tem a ver com felicidade e prosperidade, não com dinheiro. É claro que para ter uma vida plena você vai precisar de dinheiro, mas isso não significa que tenha a ver com milhões, e muitas pessoas são infelizes justamente porque elas ignoram seu propósito em função do dinheiro.

Quando nos desconectamos do nosso propósito, acabamos errando em algum ponto do nosso caminho. Sabe onde errei no meu? Em 1993, eu fiz o meu Bar Mitzvá. Com o dinheiro que ganhei na festa, pedi para a minha mãe comprar um computador, então desde aquela época eu já era muito diferente dos outros jovens que pediam videogame ou uma viagem. Eu era aquela criança que brincava com Banco Imobiliário. Já em 1994, ganhei o bolão da Copa do Mundo do colégio, e o prêmio foi de US$ 100. E o que eu fiz com esse dinheiro? Comprei um modem! Não existia internet em 1994 no Brasil, mas existia um negócio chamado BBS (*bulletin board system*) – era basicamente aquela tela de fundo preto e uma série de códigos em letras verdes mesmo –, e o que acontecia? Você conseguia conectar o seu computador no outro, o que era um negócio genial, e eu construí uma BBS na minha casa que as pessoas do colégio conseguiam conectar entre meia-noite e seis horas da manhã, um computador por vez, com o meu computador em casa.

Quando voltamos no tempo e olhamos na minha história, o que era que eu gostava de modo geral? Informática, computador, tecnologia. Fui acompanhando esse crescimento, e quando a internet chegou no Brasil eu fui um dos primeiros a ter e-mail, e aprendi a fazer página em HTML e tudo mais. Só que quando eu prestei vestibular, prestei para informática e economia, e a segunda opção fez mais sentido para mim porque fazendo informática eu só poderia trabalhar com isso, e fazendo economia eu poderia trabalhar com as duas especialidades. E foi a partir dessa escolha que durante boa parte da minha vida eu tangenciei o meu propósito, pois quando comecei a trabalhar e entrei para o mercado financeiro, eu precisei ganhar dinheiro, e nisso caguei para a tecnologia. Ao longo dos anos eu dedicava a minha vida pessoal à tecnologia, mas não a profissional. Eu anulava isso, então eu estava no mercado financeiro, na Coca-Cola, fiz várias outras coisas, e durante esse processo todo, volta e meia eu dava umas arriscadas, criando algo na internet, um blog, soltava um vídeo no YouTube, mas não me dedicava de fato, nunca o abraçava para viver plenamente feliz. Foram praticamente trinta anos até entender tudo isso, pois a partir de 2014 que ingressei de verdade na internet para viver o meu propósito.

Quando eu falo para as pessoas: "Olha, você não está no seu propósito, você está há muito tempo fora", eu falo isso porque eu mesmo ignorei por muito tempo o meu. Basta ver também quanta gente por aí afora vive depressiva quando não está fazendo aquilo que realmente veio fazer neste mundo. Por isso é fundamental olhar lá para o começo da sua história e entender o que você realmente gostava de fazer desde criança.

Estar no propósito não significa que a sua vida vai ser fácil, mas com certeza terá muito mais sentido.

Princípio

Defina o que você quer para traçar o seu mapa

Para muita gente, vencer na vida significa ter dinheiro e uma boa condição de trabalho. Porém, acho que ter uma família legal também é vencer na vida. Em termos de prosperidade financeira, é ter dinheiro, um bom cargo ou as duas coisas. Agora pode ser que o conceito de vencer na vida para você seja outro, e está tudo bem, mas o que é igual para todo mundo é que para se atingir um objetivo é preciso saber para onde você está indo.

Tudo o que é muito difícil, a gente tenta, tenta, tenta, até a hora em que o cérebro percebe que aquilo não vai acontecer e faz a gente desistir. Isso acontece, por exemplo, quando estamos nos afogando, ou quando estamos fugindo de um bicho que corre mais rápido que a gente. Chega uma hora que você vê que aquilo não dá, desiste e perde. Então, com base nessa constatação, qual a melhor forma de atingir os objetivos sem morrer na praia? Simplesmente traçando um plano e cumprindo-o de forma constante.

Sejam os seus objetivos de ordem financeira, de trabalho ou de vida, trace um plano, seja este do tamanho que for. No meu caso, tracei um plano grande de fazer os oitocentos quilômetros do Caminho de Santiago de Compostela. É óbvio que eu não cheguei lá já fazendo todos os oitocentos quilômetros de uma vez, mas determinei para mim: "Hoje eu vou fazer quinze quilômetros". Eu não sabia se iria conseguir completar os oitocentos quilômetros, mas a minha meta de fazer os quinze quilômetros naquele dia eu sabia que conseguiria com certeza bater. E aí eu cumpri aquela meta. No dia seguinte, já não eram mais oitocentos quilômetros, mas sim 785 quilômetros que me separavam do meu objetivo final, e quando eu analisava o mapa, logo ia procurando saber quanto teria que percorrer naquele dia para alcançar a meta diária. *Quanto tenho que fazer hoje? Vinte e três. Porra, isso é possível!*, falava comigo mesmo, já comemorando o êxito do meu planejamento.

À medida que ia atingindo cada trecho estabelecido como meta do dia, comecei a perceber que alcançar os oitocentos quilômetros era possível, pois é dessa maneira que damos um aviso ao cérebro e ao corpo do que está acontecendo e, quimicamente, isso faz diferença, dando ainda mais ânimo para a realização da tarefa a que nos propomos realizar.

Ter pequenas metas para conquistar um objetivo maior é muito mais fácil do que ficar sempre pensando naquele objetivo e não conseguir realizá-lo. Então, por exemplo, o cara que ganha R$ 1,5 mil e está pensando em ganhar R$ 15 mil tende a ficar muito frustrado ao receber um aumento de apenas 20%, em vez de ficar contente, o que é mais que todos os amigos dele estão recebendo agora. Então não ter a consciência de pequenas metas e objetivos, às vezes, faz com que você fique frustrado até em momentos que deveria estar feliz.

"Ah, bacana, Charles, mas como é que se organiza tudo isso na prática?" Muito simples, basta ter claro em sua mente qual é a sua meta, pois depende muito de como ela está configurada. Por exemplo, podemos até dividi-la em duas dentro de finanças e trabalho, que é a minha área de atuação. Se for de trabalho, você tem que pensar: "O que eu quero para os próximos cinco, dez, quinze anos?". Cara, eu sei que você deve estar pensando agora: "*Porra, sério? Já ouvi isso!*", mas o caminho é esse mesmo. Então, imagine que você é um engenheiro e sua meta seja se tornar diretor de uma construtora. Até lá, quais são os caminhos a percorrer para alcançar esse posto? Para ser diretor, é preciso primeiro ser engenheiro pleno, depois gerente de engenharia, outros três níveis hierárquicos dentro da área, e por aí vai, até que surja finalmente a oportunidade de virar diretor. Você tem que pensar dessa forma, porque quando você for promovido de um cargo para o outro, você vai ficar feliz por cada conquista e não olhando para o seu diretor com aquele sentimento ruim, nutrido mesmo pelo ego, pensando que você não chegou lá ainda, enquanto o cara ganha muito mais do que você. Esquece isso! Qual é o seu próximo objetivo? É muito mais fácil conseguir algo que está próximo do que ficar sonhando com o que não vai acontecer, ou que vai demorar muito. Isso no quesito profissional.

No quesito financeiro, é assustador como as pessoas não conseguem aproveitar a jornada. Elas precisam aprender que, quando a gente chega ao fim de um objetivo grande, às vezes não tem graça nenhuma. A graça e a beleza ficaram todas no caminho e, de repente, você não aproveitou nada do que viveu para chegar aonde está. Quem quer ter R$ 1 milhão investidos – o que é algo muito acima da realidade do brasileiro – e tem apenas R$ 1 mil, vai se frustrar se ficar pensando apenas no quanto falta para o R$ 1 milhão. Quando a pessoa chegar nos R$ 5 mil ela não vai nem comemorar. Não faça isso! Você tem que comemorar cada passo! Porque quando chegar a um milhão, acabou, você chegou lá. Vai querer cinco, dez, quinze, somos todos assim. Conheço pessoas que têm um bom cargo, um bom salário, um bom patrimônio e não têm felicidade financeira, porque simplesmente não conseguem entender que estão bem pra cacete naquele momento, no "*checkpoint*" presente. Segundo o Talmude "o homem rico é aquele que está satisfeito com o que possui".

A gente pode imaginar a vida como um grande jogo de tabuleiro, então vamos pensar como chegar na próxima casinha? Você precisa percorrer com as peças em cada casa. Às vezes, a vida dá uma ajudinha e a gente anda umas cinco casas de uma vez. Olha que beleza! Mas, se andou apenas uma, está tudo bem, porque o negócio é andar para a frente.

Você que já chegou até aqui nesta leitura, sabe que, seja lá o que você for fazer, isso tem de alguma maneira estar ligado ao seu propósito. E nesse terceiro princípio, que consiste basicamente em traçar o seu mapa, **você precisa se organizar para estabelecer quais são seus objetivos, e não interessa se vai escrevê-los em um papel, na parede da sua casa ou tatuar nas suas costas. Trace as metas rumo aos objetivos que você deseja alcançar, e em seguida revise tudo.**

Imagine a seguinte situação: você entra na empresa como estagiário e quer chegar a ser gerente um dia. Para isso, vai precisar estabelecer alguns *checkpoints*, como, por exemplo, o tempo de cada etapa. Quanto tempo em média leva para uma pessoa ser promovida na empresa? Uns três anos de coordenador para gerente? E você está lá há quantos anos? "Estou há seis... e o meu chefe é um merda!" Cara, desculpa falar, mas na realidade é você que está fazendo cagada, porque você já passou do tempo médio, então não vai mais ser promovido. Passando do tempo médio, é preciso dar uma sondada, procurar outras oportunidades, porque é muito mais fácil controlar o período médio de promoção na carreira do que sonhar parado no lugar que está. Essa é uma característica muito comum das novas gerações. Fulano entra como estagiário e acha que tem condições de ser CEO da empresa. As coisas têm um tempo de maturação. Por isso é preciso criar uma lista de *checkpoints* para o cérebro, pois ela ajudará muito na realização das pequenas metas que conduzirão você ao longo do mapa traçado para o seu objetivo. Podemos fazer isso em diversas áreas da vida.

Carreira

- Curto prazo: obter uma certificação profissional relevante.
- Médio prazo: conseguir uma promoção ou mudar para um trabalho mais gratificante ou com maior potencial.
- Longo prazo: tornar-se um líder na minha área ou iniciar o meu próprio negócio.

Educação

- Curto prazo: terminar o curso online que comecei.
- Médio prazo: obter um diploma universitário, pós-graduação, ou mestrado.
- Longo prazo: continuar a aprender e desenvolver novas habilidades (Educação continuada).

Saúde

- Curto prazo: estabelecer uma rotina regular de exercícios, pode ser do básico mesmo, um a dois dias por exemplo.
- Médio prazo: perder X quilos ou atingir um certo nível de condicionamento físico.
- Longo prazo: manter um estilo de vida saudável e uma boa condição física, lembrando sempre de ter uma alimentação balanceada.

Finanças

- Curto prazo: economizar uma certa quantia de dinheiro ou pagar uma dívida.
- Médio prazo: investir em algo (uma casa, ações, FIIs, um negócio).
- Longo prazo: ter uma aposentadoria confortável (pública e privada).

Sempre importante que suas metas sejam SMART
- Específicas, Mensuráveis, Atingíveis, Relevantes e Temporizáveis.

Dou como exemplo a minha própria vida. Eu tive um emagrecimento muito grande, perdi trinta quilos, mas foi aos poucos, cerca de dois a três quilos por mês durante mais de um ano, e ficava feliz a cada quilo perdido. Agora tem gente que luta contra a balança por dez ou até quinze anos e fica oscilando entre extremos, batendo na casa dos noventa quilos e querendo chegar aos setenta, dizendo que vai perder dez quilos em um mês. Daí quando ela vê que perdeu apenas três quilos, fica frustrada e então vai lá e engorda porque não bateu a meta dos dez quilos. Essa mesma pessoa nunca perdeu nem cinco quilos, então por que não coloca dois quilos por mês para no final de um ano estar maravilhosa? Isso simplesmente não acontece porque as pessoas ou querem fazer nada ou fazer tudo e isso é uma merda. Não tem como seguir nessa forma de tudo ou nada, pois você tem que fazer um pouquinho todos os dias, e de maneira consistente para ter um resultado real.

Muita gente vem conversar comigo sobre mídias sociais, porque sabe que meu canal no YouTube cresceu muito e tal. E me dizem: "Estou começando um canal também, vou fazer uma série de dez vídeos sensacionais, qual a sua opinião?". "Esquece", é o que eu falo. Não tem que postar dez vídeos bons no YouTube, tem que postar dois por semana e manter isso de forma consistente por um ano. As pessoas insistem em querer fazer muita coisa de repente, depois abandonam, e fatalmente acabam fracassando. Bom mesmo é fazer as coisas da maneira certa durante um bom tempo, e isso serve para tudo na vida. Tanto que quando você vai olhar em outras áreas que não têm nada a ver com o trabalho ou dinheiro, isso funciona, pois a gente acaba empregando pequenas metas voltadas em uma direção muito clara, para evitar perder tempo, que é o nosso ativo mais importante.

Perder tempo é um problema, seja profissional ou financeiramente. Por isso que é muito importante nesse momento que você pare por um instante esta leitura e faça uma reflexão sobre as diversas áreas da sua vida (família, dinheiro, trabalho, estudos) e se pergunte: "Tenho clareza sobre aquilo que desejo?". Preste atenção, se você não tiver essa clareza, poderá estar indo na direção errada, e corrigir o percurso depois é muito difícil.

E quando tudo dá errado?

Em 2008, eu estava em Santa Catarina, e tinha um ótimo emprego como superintendente de uma financeira. No início do ano, a economia ainda estava aquecida, então eu recebia muitas propostas de emprego. Queria trabalhar em uma empresa grande, e algumas começaram a me procurar. *Headhunters* me ligavam e tal... Eu sentia que, após dez anos trabalhando na mesma empresa, mesmo tendo um bom cargo e um bom salário, era importante para minha experiência dar esse salto para algo grande, em uma multinacional de repente. "Chegou a hora!", pensei.

Por volta de julho, pedi demissão, saí com um bom dinheiro conquistado no mercado financeiro e fui para a África do Sul fazer um intercâmbio de um mês para melhorar meu inglês. Voltei em meados de agosto, que foi quando começou a quebradeira, a crise de 2008. Todo mundo demitindo, um mar de gente sendo mandada embora. Quando dei retorno às ligações dos *headhunters*, a resposta foi: “Esquece, ninguém mais está contratando”.

Eu tinha feito todo um planejamento e havia passado os últimos dez anos crescendo profissionalmente; e daí quando decidi que era hora de dar um salto maior para uma empresa grande e assim crescer mais, me tornando um diretor ou até CEO, eu me vi desempregado. Saí de um cenário no início do ano ganhando muito dinheiro, com uma situação superestável e confortável, com propostas todos os meses, para o status de desempregado que mandava currículos que ninguém retornava. É uma situação desesperadora, e olha que eu não estava com problemas de dinheiro. Mas é um negócio que mexe com o emocional, com a autoestima. De repente, de uma hora para outra me vi sem rumo.

Você começa a mandar currículo, a ligar, as pessoas não te respondem, não atendem as suas ligações. Teve um dia em que eu me arrumei, imprimi meu currículo, coloquei em um envelope e fui a uma empresa de recrutamento e seleção de executivos lá do Sul. Ainda era praxe o contato pessoal, mas a atendente sequer me deixou entrar, pois já foi dizendo que eu podia mandar o currículo por e-mail, e fechou a porta.

Este é um ponto horrível que a pessoa em busca de um emprego passa: dispara muitos e-mails para as vagas que aparecem, e, muitas vezes, ou ninguém responde ou quando retornam é para marcar duas ou três entrevistas e nunca mais você recebe uma ligação de volta. Eis a angústia do desempregado. Passa um dia, passam dois, três, e aí você já resolveu tudo o que tinha para resolver em casa e com o carro, então a família começa: “Então, quando você vai voltar a trabalhar?”; os amigos ficam te perguntando sobre trabalho, você encontra alguém no shopping e a pessoa segue no interrogatório: "E aí, está trabalhando onde agora?". O "estar desempregado" é uma condição que não deveria causar vergonha, mas a verdade é que só quem passa sabe o que é esse sentimento.

Fiquei desempregado até quase o final daquele ano, quando consegui um novo emprego em dezembro. Essa situação ruim durou uns três ou quatro meses, mas foi chocante para mim, que até pouco tempo antes vivia uma realidade de gente me enchendo o saco para trocar de emprego. Mas até hoje agradeço a Deus por tudo ter acontecido daquele jeito, porque tudo aquilo que eu passei me ajudou muito a desinflar o meu ego. Hoje sei o que é passar por essa experiência, o que não saberia se tudo tivesse dado certo. Tive que aceitar um trabalho para ganhar menos da metade do que ganhava antes, em um cargo muito menor. De superintendente de financeira passei a ser coordenador comercial na Coca-Cola. Foi o que pintou, e eu dei graças a Deus quando consegui a vaga. Trabalhei como um louco durante dois anos e fui promovido a gerente, daí sim ganhando mais do que eu ganhava antes. Mas agora você calcula, do momento que eu saí do meu antigo emprego para alcançar o status de ganhar o tão desejado alto salário foi um processo que saltou de dois para 24 meses para ser realizado, pois tive um baita percalço no caminho, que foi a crise em 2008, então tive que retraçar a rota.

Portanto, mesmo que a gente faça tudo certo, estabelecendo metas, objetivos, e tudo mais que for necessário, nada disso é garantia de que o mapa traçado vai dar certo. Ainda assim, não dá para trabalhar com a hipótese do "vai dar errado". Ao longo da jornada, alguma coisa com certeza vai dar errado, e precisamos lidar com isso, mas não pode também deixar de ter uma jornada e se planejar por achar de antemão que vai dar errado!

Veja, eu tinha o plano de trabalhar em uma empresa grande. Uma porrada de coisas foi dando errado e, de repente, tudo voltou para os trilhos. Agora imagina se eu tivesse aberto mão de tudo? Ir para a frente às vezes gera um choque, um terremoto na nossa vida, mas depois as coisas se organizam, por isso é preciso persistir no propósito.

Campo fértil para prosperidade

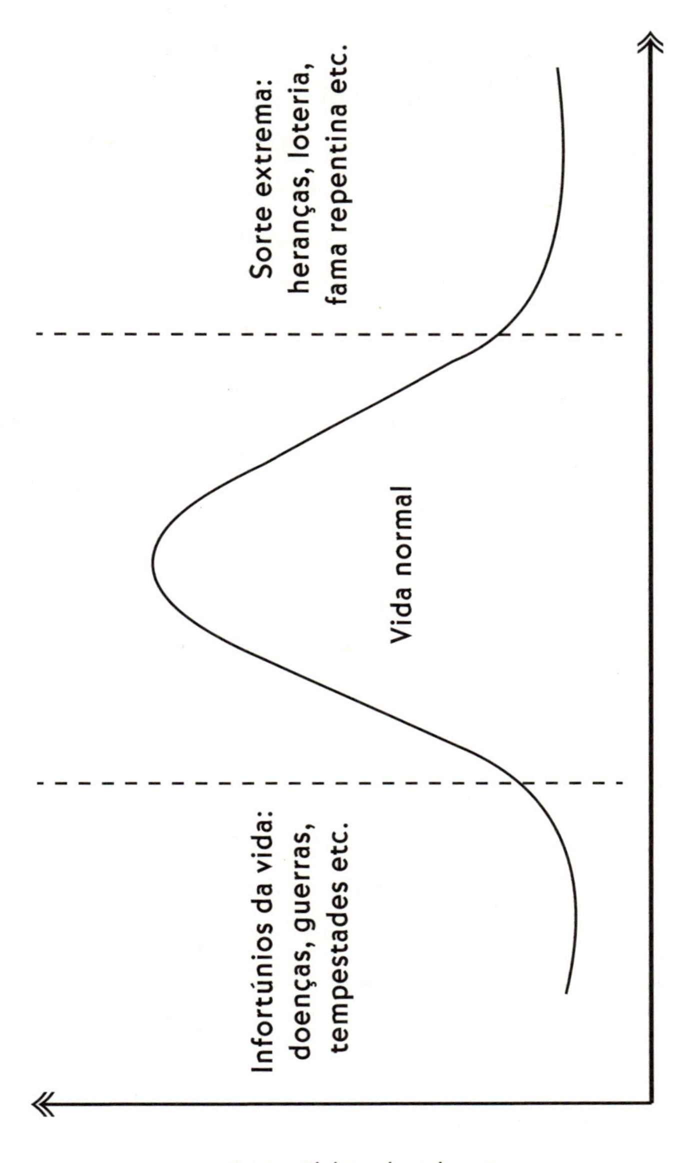

Fonte: Elaborado pelo autor.

Analisando o gráfico anterior, temos pessoas que dão "errado" na vida por conta de infortúnios muito grandes, tais como uma doença, uma tempestade, um crime, uma falência. À direita estão as pessoas que dão muito "certo". O cara que ganha na loteria, o jogador de futebol que vira estrela, a pessoa que se casa com alguém muito rico. Coisas que elas sequer procuraram. É possível que meu discurso não se encaixe nesses extremos. Contudo, para 90 a 95% das pessoas, essa realidade que proponho é verossímil. E vai ter o sujeito que dirá o seguinte: "Ah, seu papo é muito bonito, mas eu perdi tudo num terremoto". Eu entendo, entendo mesmo que tudo desmoronou, mas você vai ter que seguir em frente agora. E ainda vai ter também alguém que teve a vida impactada por uma herança e agora tudo ficou mais fácil. Nos extremos, portanto, haverá casos de excepcional facilidade ou dificuldade, mas não podemos tomá-los por regra.

Sempre digo nas redes sociais que a "exceção é o exemplo do idiota". Pegar esses casos raros e, por exemplo, justificar que as pessoas não precisam estudar porque o Silvio Santos não estudou e é bilionário, é uma bela cagada. Estatisticamente, quem estuda ganha muito mais do que quem não estuda, por isso, prefiro trabalhar com a estatística que revela o que de fato leva as pessoas ao sucesso, do que me concentrar nessas raras exceções. Tempos atrás teve um vídeo circulando na internet em que aparecia um menino norte-americano falando para o pai que não iria estudar, já que o Mark Zuckerberg não terminara os estudos e mesmo assim era dono do Facebook. O pai então retruca dizendo que Mark havia entrado em Harvard antes de abandonar os estudos... Então, quando o filho primeiro passasse em Harvard, poderiam retomar a conversa.

O mundo contemporâneo está lotado de pessoas vendendo facilidades. Meu discurso não é muito bonito perto do que as pessoas vendem. Não digo que você não precisa estudar e que só precisa trabalhar de forma inteligente que as coisas vão dar certo. Não acredito muito nisso. Acredito em pequenas metas, trabalho, objetivos. Além disso, ter um caminho é importantíssimo, e enquanto a pessoa não o acha, ferrou. "Ah, Charles, mas e se a pessoa não tiver nada na cabeça, não souber o que vai fazer da vida?" Daí "lascou!", vou responder. Mas, veja, não acho que não saber nada o que fazer seja uma coisa péssima. Quem não sabe o que fazer não está 100% perdido, só precisa achar seu caminho, daí voltamos à história do propósito, da infância, de tudo mais que comentei no princípio anterior.

Para traçar o mapa, enxergue o caminho do seu propósito

Conviver comigo mesmo no Caminho de Santiago de Compostela me fez enxergar o que eu precisava, e depois me mostrou que eu fiz certas coisas que gostava e já estavam vinculadas ao meu passado, como economia, tecnologia e redes sociais. Se no início da minha vida o meu sonho era ter um computador, e eu adorava mexer com dinheiro brincando de Banco Imobiliário, quer algo mais claro do que era o meu propósito?

O caminho obriga você a mergulhar profundamente no seu *eu*. Quem faz o caminho longo, o caminho francês inteiro que demora por volta de trinta dias ou mais, no primeiro dia você pensa algo sobre a sua família, sobre você, sua mulher, seus pais. No segundo dia, algo do trabalho, um probleminha que você teve, e conforme os dias vão passando, e conforme você vai ficando exausto, caminhando sozinho em uma floresta ou em um campo aberto, à medida que tudo isso vai acontecendo, você atinge áreas profundas no seu aspecto físico e emocional que são praticamente impossíveis de serem acessadas no seu dia a dia na cidade, no conforto da sua casa, ou com alguém falando no seu ouvido, ou você enchendo o saco de alguém, ou ainda conectado na internet ou querendo ver o que está passando na televisão.

Portanto, ao caminhar tantos dias sozinho você acaba abrindo gavetas que você nem imaginava que existiam. Estou lá sozinho, machucado, com uma unha caindo, uma bolha sangrando, o músculo já não responde mais, daí vem a fome, a sede, e você tem que andar mais quinze quilômetros de subida para chegar no próximo abrigo. Esse cansaço físico também faz com que você acesse parte do seu emocional, faz você se questionar sobre o que você fez para chegar até ali. Estando nessa situação, você não tem outra alternativa que não seguir em frente, todo dia você tem que caminhar de quinze a trinta quilômetros, e tem um aprendizado muito interessante:

A única coisa que você não pode fazer é parar de caminhar. Você tem que caminhar, pois é assim que as coisas acontecem.

A semelhança que essa sentença traz em relação à vida é enorme, porque todo dia você tem que se levantar e caminhar, dar mais um passo porque é assim que as coisas vão acontecendo. O Caminho de Santiago é um microecossistema da vida que a gente tem. E não estou dizendo que você tenha que fazer uma peregrinação para traçar o seu mapa, mas que terá que fazer movimentos novos na sua vida, como definir seus objetivos, de preferência por escrito (lembra da tatuagem?), e traçar o plano de metas para alcançá-los, a partir do estabelecimento do seu propósito, para finalmente começar a movimentar as peças no jogo de tabuleiro da sua vida.

Princípio

Peça e receberás: a regra da projeção inteligente

Este 4º princípio só vai funcionar se você acreditar, primeiro, que vai dar certo, e não o contrário, que seria aquilo de primeiro ver que algo funcionou para depois acreditar. Infelizmente, o conceito contido nesse princípio foi muito banalizado nos últimos anos, principalmente depois da explosão da mídia sobre a Lei da Atração. Muita gente passou a criar e vender produtos em cima disso, porém o núcleo desse pensamento efetivamente funciona. Afinal, como alguma coisa pode dar certo se você sequer acredita? Existe aquele clichê de que "vontade vira pensamento, e pensamento vira ação", e então você vai conseguir seu objetivo.

Essa premissa vendeu muitos produtos, e se tornou um modismo, muita gente se aproveitou dessa onda e isso embaralha a cabeça das pessoas. Então realmente acredito que o primeiro passo para as coisas darem certo é acreditar. Do contrário, é preciso que você reflita sobre o porquê de não acreditar. Se não é possível e não acredito, o que então é possível? Agora, vamos trazer isso para o campo prático para não ficarmos na teoria. Suponha que eu sou um gerente e quero me tornar diretor na empresa em que trabalho. É possível? Não, nessa empresa não há essa possibilidade porque ela é familiar, o dono tem oito filhos e se o diretor, que é um dos filhos, sair, na realidade outro filho do dono entrará no lugar dele. Nesse caso, não adianta se pensar positivo porque na prática essa promoção não será alcançada. Daí você vai ficar frustrado, porque se é uma verdade absoluta, acabou, se você tem ciência de que aqui eu não conseguirei, não adianta.

Se você tem mil reais na conta, e quer ter um milhão de reais investidos no ano que vem, e você tem um trabalho em que ganha R$ 5 mil fixos por mês, ter um milhão de reais no ano que vem é uma coisa possível? Provavelmente não. Então não adianta você também pensar positivo sobre coisas impossíveis. E é o que muita gente pensa.

No entanto, acredito, sim, nesse conceito da Lei da Atração que diz: "Pensamentos positivos fazem com que o Universo conspire a nosso favor". Acredito totalmente nisso, e aí vai depender muito de fé, de credo, é importante colocar isso. Até mesmo o judaísmo crê nisso. Esse também é um princípio de realização, mas quem não tem fé nenhuma não vai acreditar. Por isso é importante ter esse conceito, pois se você é de uma sociedade judaica ou cristã, que são os conceitos que eu conheço, isso de conversarmos com Deus e pedir está na raiz da nossa fé. Mas a gente vai pedir, e Ele, sem nos avisar, vai estabelecer certas condições. "Olha, se você fizer tudo isso aqui direitinho, vai acontecer". Por exemplo: quero ser promovido na minha empresa, então vou lá e peço para Deus: "Eu quero ser promovido, eu quero ser promovido...". Beleza. Chega sexta-feira, e o que acontece? Eu não vou trabalhar, porque está tendo jogo de futebol e eu invento que estou doente. Cara, numa dessas você provavelmente não vai conseguir ser promovido porque está mentindo para o seu chefe, que talvez nunca descubra, mas Deus tem um jeito de ver o que você está fazendo. Dessa forma, "peça e receberás" é na realidade um "peça e receberás, mas estou fazendo com que isso aconteça".

"Ah, mas, Charles, agora eu sou obrigado a acreditar em Deus para conseguir o que eu quero?". Veja bem, ainda que você não acredite em um Deus, a fé em si é uma questão científica. Então como aplicar uma questão de fé para pessoas que porventura não creem em nada? Simples. Elas podem ter fé nelas mesmas, fé no mercado. Esse conceito de crer é perfeitamente aplicável a uma sociedade como a nossa, em que a maioria professa a fé judaico-cristã. Faz todo o sentido. Você conversa com Deus, expressa aquilo que deseja. Compromete-se a trabalhar por isso e a ter um comportamento coerente com determinadas normas. Portanto, você vai conseguir.

Mas projetar um futuro melhor e pedir pode ser de grande ajuda mesmo para quem não tem fé. O mero ato de vislumbrar esse futuro, por exemplo, "eu quero ter tanto dinheiro", ou "eu quero chegar em tal lugar profissionalmente", ou ainda "eu quero ter tantos filhos..." permite pôr em prática o processo que a gente viu no início, que é estabelecer pequenas metas, atingir objetivos. Fazer algo. O "peça e receberás" pode não dar em nada se você não acreditar. Mas por que você não faria algo que tem boas chances de dar certo e ainda não te prejudica em nada?

Quem não tem fé nenhuma nisso, em que pedir não adianta, e projetar no teu futuro não adianta, pode não funcionar em termos de fé, cujo conceito é crer que uma força maior vai ajudar... Mas projetar um futuro melhor e pedir algo, principalmente projetar um futuro melhor, vai te ajudar mesmo que você não tenha fé. Porque projetando esse futuro, esse lugar aonde quer chegar, você vai conseguir fazer todo aquele projeto do último princípio, que é traçar pequenas metas, que é atingir objetivos, que é fazer algo. Pedir para receber pode não dar em nada se você acredita, mas não vai te prejudicar.

Acho muito importante que a pessoa tenha um caderno, algo que sirva para trazer as ideias do plano psicológico para o plano físico. Esse é um processo que precisa acontecer todos os dias, seja escrevendo ou até mesmo vocalizando. O que você quer? "Eu quero ser promovido!". Então fale para o espelho, anote, coloque isso pra fora. Faz toda a diferença. Daí você pode até me questionar: "PNL, Charles?". Sim! PNL total na veia! Em 2018, participei de um programa de PNL. Tenho uma mentora nessa área, e posso afirmar com tranquilidade que fez muita diferença para mim.

Nessa época, eu já gravava vídeos para o YouTube, e lá por agosto, mais ou menos, a mentora perguntou qual era o meu objetivo. "Quero ter um vídeo visto por um milhão de pessoas", eu disse. Em outubro aconteceu, e olha que até então eu estava muito longe desse objetivo.

Eu entendo a importância de pedir, de falar. É um recado para o cérebro. "Eu quero ser gerente". Daí vou repetindo isso. Um belo dia, o diretor dá uma de babaca comigo, começo a ouvir rumores sobre minha demissão, tento me recuperar, estou deprimido, enfraquecido... Mas o cérebro mantém o objetivo vivo, porque foi lembrado disso o tempo todo. Ele escutou quando botei pra fora. Em dado momento, a pessoa se autoconvence do que precisa fazer.

O mesmo vale para uma meta financeira. Você tem R$ 10 mil guardados e quer ter dez vezes mais. Anote isso, vai expressando isso. Quando surgir a tentação de torrar a grana, o seu cérebro vai te questionar muito mais do que o normal. "Porra, você não queria guardar, não queria alcançar um objetivo? Repetiu isso tantas e tantas vezes!" Daí é como se você reunisse um exército de pessoas para te ajudar.

O que estou propondo aqui talvez pareça óbvio, mas, para a maioria das pessoas, não é. É legal falar sobre isso, especialmente para aqueles que não têm nenhuma fé, pois pode ser de grande ajuda. Essa dinâmica promove uma alteração química no cérebro, no organismo como um todo. Cumprir pequenos objetivos dá uma sensação de prazer muito grande, o que é um incentivo para encarar os obstáculos que ainda estão por vir.

É claro que não dá para achar também que é possível atingir um objetivo escrevendo sobre ele a cada três meses, pois isso é um recado claro, para o mundo e para si mesmo de que aquilo não é importante. A vida dura 120 anos e a pessoa desanima porque tentou algo durante poucos meses e ainda não teve resultado! Por isso é necessário pedir por quanto tempo for preciso até chegar ao que se deseja.

Quando houve o lançamento do livro *O segredo* no Brasil, aconteceu o *boom* da Lei da Atração por aqui. Mas o problema desse tipo de movimento ocorrido é que as pessoas começaram a achar que bastava ficar em casa pensando positivo e pedindo, e se limitar a isso. É quase como querer ter a barriga tanquinho do Schwarzenegger comendo pão, bebendo vinho e faltando todo dia à academia.

Você pode dispor de todas as ferramentas, mas se não agir da forma que tem que agir, a coisa não vai dar certo. Normalmente, um McDonald's funciona, mas qualquer analista das franquias vai explicar que, entre as unidades que não dão certo, geralmente é porque o dono não se submete às orientações. É tipo um bolo. A partir de uma receita, chego a um resultado. Não adianta jogar lá três ovos porque gosto de ovo, quase não adicionar açúcar porque não curto... Posso até improvisar aqui e ali, mas se não respeitar ao menos a essência, tudo tende a dar errado.

As pessoas perdem muito tempo ao rechaçar aquilo que funciona. Se você dispõe de ferramentas, se está recebendo as ferramentas disponibilizadas neste livro, está explicando tudo bonitinho, por que correr o risco de errar? É aqui que entra a aquela questão: todo judeu é rico? Não. Eu conheço muitos judeus pobres. Mas a todo judeu, pelo menos, sempre foi garantido aprender a ler e a escrever. Hoje em dia, todo mundo é letrado, mas quinhentos anos atrás era tudo muito diferente. Como o judeu historicamente precisa aprender a ler e a escrever para seu Bar Mitzvá, celebrado aos treze anos, isso o levou a se diferenciar muito dos outros povos. Essa característica cultural, por si só, já muda muito a dinâmica do cérebro, e é um dos fatores que ajudam a compreender o sucesso financeiro e profissional do povo judeu. O estudo, o trabalho e a fé.

Muita gente me questiona sobre essa história da Lei da Atração. Para o judaísmo, ela funciona. Quando recorri à mentoria e me voltei para o processo de programação neurolinguística, já tinha certa base de conhecimento sobre a Lei da Atração, mas recorri à PNL porque o conhecimento não tem um fim. Ainda que esteja aqui escrevendo sobre determinado tema, continuarei a aprender sobre ele pelo resto da vida. Eu gosto de PNL, gosto de eventos de desenvolvimento pessoal... E mesmo quando estou em um lugar onde deparo com coisas com as quais não concordo ou mesmo não gosto, acho válido, pois alguma coisa estou aprendendo.

O que me impressiona na vida de influenciador, conforme declarei em uma entrevista à *Folha de S.Paulo*, é o encontro com as pessoas. Há pessoas que chegaram a chorar enquanto relatavam como eu lhes havia transformado a vida. Eu tento não chorar, mas fico emocionado.

A partir de uma pesquisa com meu público, descobri que mais de 60% dele é CLT ou funcionário público, 75% do sexo masculino. Isso é interessante, porque muitos gurus e influenciadores pegam muito no pé se você é CLT. "Isso é coisa de otário." Eu já não penso dessa forma. Falo para um público com o qual ninguém está falando. Você não quer ser um empreendedor? Ótimo! Arrasa aí na sua empresa, investe mais do que os outros, e então você vai ter um dividendo dos seus investimentos, como se você tivesse uma empresa. E ninguém tá falando pra esse cara!

Princípio

5

Não seja medíocre,
faça tudo com excelência

Concordo com aquela expressão que diz que "fazer é melhor do que não fazer", mas somente o fazer pelo fazer não basta. É preciso buscar melhorar tudo o que você faz a cada dia. Você pode até questionar, dizendo que tentar fazer ainda que não seja excelente logo de cara é melhor do que nada, e nesse ponto você tem razão, porque a gente tem mesmo que sair de algum lugar e começar a fazer.

O problema é que muita gente também faz alguma coisa de maneira medíocre só para falar "eu fiz", sem entender que, com o tempo, quanto mais a gente faz algo, mais vai melhorando, seja no trabalho, seja nos investimentos, seja com a família. Um exemplo disso é o meu canal do YouTube. Comecei a gravar vídeos nesse formato em 2017, e hoje, quando vejo meus vídeos, é lamentável... Não sei como alguém assistia – talvez por isso tão pouca gente assistisse! O áudio era ruim, a imagem era ruim, eu botava uma música de fundo que não dava para escutar o que eu falava... Era um negócio horrível. No entanto, fazer aquilo me possibilitou aprender mais sobre o assunto, pois fui pesquisar e corri atrás de melhorar.

Quando completei entre duzentos e trezentos vídeos eu finalmente comecei a melhorar. E se você me perguntar se eu fazia vídeo diariamente até chegar a tudo isso, a resposta é não; tinha semana que eu fazia cinco, na outra semana não fazia nenhum, na outra fazia três, o que era uma idiotice, porque eu não estava praticando a consistência para crescer o meu canal. Portanto, pare já com essa ideia de que só fazer é importante, porque não é bem assim. Você vai fazer um negócio? Já está gastando tempo? Então faz bem-feito. Faça o máximo que você puder.

Outro ponto muito legal, contido no livro *A única coisa*, é a Teoria das 10 mil horas, muito importante para a pessoa se desenvolver.

Em 2008, o jornalista canadense Malcolm Gladwell escreveu o livro Fora de série. *Sua tese era condensada na expressão "A regra das 10 mil horas". Resumindo: não é o talento natural que importa, a prática faz a perfeição.*

A origem da regra remonta a um estudo de 1993 realizado por Anders Ericsson, um psicólogo sueco. Ele investigou o desenvolvimento de habilidades excepcionais em músicos profissionais e concluiu que aqueles que alcançaram o nível mais alto de maestria haviam acumulado, em média, cerca de dez mil horas de prática deliberada.

No entanto, é importante notar que a regra das 10 mil horas não é uma fórmula rígida e universalmente aplicável para se tornar um especialista em qualquer área. Embora a prática deliberada seja um fator importante para o desenvolvimento de habilidades, outros fatores, como talento inato, oportunidades, instrução adequada e motivação, também desempenham um papel crucial.

No meu canal do YouTube, tenho mais de mil vídeos com diversos formatos e tempo de duração. Considerando esse período desde 2017 para cá, já devo ter atingido essas dez mil horas, mas ainda assim eu posso melhorar essa marca.

Como almejar a perfeição se não se trabalha para isso? Podemos atuar em dois pilares: *fazer* e *aprimorar o modo de fazer*, buscando técnica, buscando tudo quanto é informação para ajudar a melhorar o que você já faz. No meu caso, além de gravar para o YouTube, fiz muitos cursos, treinamentos, fui a eventos, assisti a inúmeros vídeos como uma forma de laboratório. Faço e continuo estudando e aprimorando a técnica até hoje.

“Ah, Charles, mas como é que eu vou fazer se eu não sei?”, a resposta é simples: enquanto você não sabe, também tem que fazer, porque só o ato de você procurar o como fazer o que você está querendo já faz com que você saia da mediocridade e promova uma evolução no seu crescimento.

Portanto, foque estes dois pilares:

1. Faça.
2. Faça o máximo que você puder, buscando ferramentas para melhorar.

Antes de avançarmos nesse tópico sobre mediocridade, preciso deixar bem claro que me refiro a "medíocre" como sinônimo de "média". De acordo com a definição do dicionário, essa palavra vem do latim *mediocris*, que significa:

1. Que está no meio ou entre dois extremos, é igual a mediano;
2. Que não se destaca na qualidade, no valor ou na originalidade;
3. Que está abaixo da média ou do que está aceitável.

Desse modo, se a média das pessoas faz tal coisa e tem um resultado médio, você pode até conseguir um resultado semelhante se fizer o mesmo que elas, e às vezes você pode até cumprir alguma coisa. Se no seu trabalho te derem uma tarefa e você cumpri-la, se for medíocre, não no sentido pejorativo, mas no sentido de "estar na média", seu resultado a médio e longo prazo será a média. Se a maior parte das pessoas chega em um número, seja no trabalho, nos estudos ou em qualquer outra área da vida e elas não caem, mas também não avançam, elas estão na média; e se você continuar sendo medíocre, vai ter esse mesmo resultado mediano.

Beleza, agora como sair dessa inércia? Fazendo coisas que as outras pessoas – na média – não fazem. Não basta fazer, tem que extrapolar a mediocridade. Mas é preciso ter cuidado com o senso comum atribuído a essa palavra, para não passar a ideia errada.

Normalmente, as pessoas tendem a fazer aquilo que precisa ser feito sem se preocupar com o todo, em fazer algo maior. Mas daí vem a pergunta: Como fazer?

Mais do que dizer *o que* as pessoas têm que fazer, temos que dizer o *como*, do contrário, não vamos ajudar em nada. Mas, voltando à resposta, esta é muito simples:

Faça muitas vezes e busque a técnica certa.

Se ainda não havia ficado claro, reforço um ponto importante deste livro: não gostamos de exceções por aqui. Essa história de que você conhece um fulaninho que estourou na internet gravando um ou dois vídeos não é a regra, pois o dado de realidade mesmo é que não é possível ser um bom influenciador sem gravar muitos vídeos, ou um bom jogador de futebol sem treinar muito, ou um bom nadador sem nadar muito.

Muitas pessoas me dizem que tentaram começar no YouTube e que não deu certo, mas quando pergunto por quanto tempo elas tentaram, geralmente respondem que não persistiram nem por três meses. Cara, três meses não é nada! Para você ser médico precisa passar dez anos estudando. As pessoas estão muito aceleradas, querem resultados rápidos. Nós subestimamos o longo prazo e superestimamos o curto prazo. Trocamos o fazer um pouco todo dia pelo "curtoprazismo". "Ah, eu vou gravar dez vídeos nessa semana e arrebentar no YouTube!" Não! Você tem que gravar duzentos vídeos ao longo de três anos, daí você vai arrebentar. Não precisa ir os sete dias da semana à academia durante uma única semana, mas ir de três a quatro vezes por semana durante os próximos dois anos. Isso é o que traz um resultado muito maior.

Como saí da minha própria mediocridade

Gosto muito de um programa televisivo chamado *Acumuladores*, que exibe casos reais de pessoas que sofrem com um transtorno obsessivo compulsivo que as faz estocar milhares de coisas em casa sem nunca conseguirem se desfazer de nada. E assim como esses acumuladores, a média das pessoas também apresenta esse problema de carregar coisas que não precisa mais. A pessoa às vezes ganha bem, está bem, mas anda acumulando muito entulho na vida.

Lembra quando contei sobre a minha experiência no Caminho de Santiago de Compostela? Ao longo do percurso, aprendi a ir deixando coisas que não serviam mais para então levar comigo somente o essencial. E não falo isso somente no aspecto material, pois ao começar a remover os entulhos no campo dos meus pensamentos, passei a ter novos espaços para fazer novas descobertas nos anos seguintes de 2014 e 2015. Imagina só, eu estava pensando em prestar concurso ao mesmo tempo que buscava criar algum negócio. Não queria mais voltar para o mercado financeiro ou de bebidas. Queria avançar. Daí abri uma pequena transportadora com apenas um caminhão, duas carretas e um motorista.

Apesar de todo o meu entusiasmo, foi um momento muito ruim porque era tudo burocrático demais. É difícil ser empresário em alguns nichos quando você é pequeno, e isso me incomodava e me tirava do meu propósito, afinal não sou um cara de burocracia.

Quando chegou o ano de 2016, resolvi matar a transportadora e fui parar no Vale do Silício, onde fiquei durante um mês, participando de uma iniciativa chamada Missão ao Vale do Silício junto com o pessoal da StartSe, que é uma plataforma educacional voltada para negócios. Como eu já estava começando com as páginas digitais e meu blog de vinho estava decolando, embarquei nessa empreitada. A missão durava apenas uma semana, mas fiquei durante um mês, pois aproveitei o restante do tempo tentando entender o ecossistema do Vale do Silício.

Essa experiência definitivamente me fez sair da mediocridade, porque passei a fazer movimentos que até então não tinha realizado. Eu já tinha dinheiro, mas, em vez de ficar só em bons hotéis em San Francisco, me hospedei no mesmo quarto de Airbnb em que os programadores estavam, para trocar ideias e entender como tudo aquilo funcionava.

Ao final de trinta dias, voltei, fechei tudo o que eu tinha de físico, que era a transportadora, e passei a me dedicar integralmente ao online. A missão foi como uma confirmação do que eu imaginava. Antes, pensava em abrir uma loja de vinhos, uma padaria, uma coisa física, mas resolvi ficar só no digital. Embora sempre houvesse o receio daquela famosa pergunta: "Mas você faz só isso? Não tem um negócio próprio?".

No digital, troquei o nome do meu site de notícias de Barrica News para Squad News. No ano seguinte, 2017, abri meu canal no YouTube, e toda essa virada digital começou em 2013, com meu blog de vinhos, vindo a se concretizar em 2017, quando se tornou um negócio efetivamente constituído e meu principal negócio. Veja que são anos, mesmo parecendo que foi ontem.

Ao longo desses cinco anos também vivi vários conflitos: *Abro um negócio? Presto um concurso? Volto para o mercado de trabalho?* Mas se teve um fator principal que me ajudou a sair da hesitação, posso dizer que esse fator foi o tempo, pois à medida que ele ia passando, eu seguia fazendo e sentindo as coisas. E associado ao fator tempo, destaco a questão do propósito. No Princípio 2, no qual falo sobre Propósito, compartilhei que o meu estava vinculado à economia e ao digital, dois universos que se cruzaram em 2017, ao final desse período de buscas e aprendizados.

De lá para cá, eu venho fazendo a mesma coisa. Apesar de ter criado o Economista Sincero em 2016, só o nutri em seu formato em 2018. Em 2017, comecei o 59 Segundos no YouTube, como resposta a algo que me incomodava muito. No YouTube, a metragem dos vídeos me dava agonia. Abria um vídeo com algum tema do meu interesse e, quando ia ver, era mais de uma hora de alguém falando que estava indo para o sítio da sogra, que a comida da sogra era boa, sei lá o quê. Por que as pessoas não eram mais objetivas naquela plataforma?

Cansado dessa falta de praticidade, criei o canal 59 Segundos, no início de 2017. A ideia era falar sobre tudo, drones, vinhos, investimentos e até sobre a minha vida, mas de uma maneira objetiva, "sem enrolação", daí o lema do meu canal, que segue o mesmo até hoje. Comecei a gravar sobre diversos assuntos, desde como abrir uma garrafa de vinho, tirar o sal de um bacalhau, até passar um café e voar com um drone. Mas não deu certo, e eu não entendia por quê.

Meus vídeos tinham de dois a três minutos, eram objetivos e achei que seriam um sucesso. Demorei meses para descobrir o motivo: o YouTube não queria que você resolvesse a vida da pessoa em dois ou três minutos. A plataforma queria vídeos acima de oito minutos, porque assim ela conseguia inserir duas ou três propagandas no meio do conteúdo que está sendo exibido. Quanto mais longo o vídeo, mais propaganda garantida. Então, quando uma pessoa busca "Onde investir?" e tem lá o meu vídeo de dois minutos e outro de 25 minutos, o YouTube esconde o meu para mostrar o mais longo. Passei meses fazendo vídeos para quase ninguém por causa de um erro meu.

No entanto, em maio de 2017, houve uma alta do Bitcoin, então fui estudar sobre o tema. Achei fenomenal, investi e gravei um vídeo para esse canal, que teve mais visualizações que todos os outros, e isso me chamou a atenção.

Observe bem, meus dois propósitos: ensino e rede social. Dali para a frente, meu negócio ia muito bem, tomava muito tempo, e tive que parar de gravar vídeos para o YouTube, pois aquilo era um hobby ainda, e não estava dando certo.

Contudo, no fim daquele mesmo ano, as criptomoedas começaram a bombar; foi uma alta louca, e comecei a gravar vídeos apenas sobre esse assunto. Aí o canal virou 59 Segundos Criptomoedas. Durante quase todo o ano de 2018, gravei vídeos somente para esse canal. Foi um grande laboratório, porque foi nesse ano que aprendi que tinha que ter frequência, não bastava ser curto.

Vivenciei a grande experiência de ter dez, cem, mil pessoas vendo um vídeo meu. Hoje, é mais importante para mim ter passado por tudo isso e ter curtido o processo do que ter um único vídeo com um milhão de visualizações. Foram aprendizados novos ao longo do caminho todo.

Quando outubro de 2018 chegou, vieram as eleições, e eu queria falar sobre política e investimentos, porém não achava justo tratar desses assuntos em um canal de conteúdo sobre cripto. Sendo assim, resolvi subir vídeos sobre eleições no até então desconhecido Economista Sincero, que ali nascia nesse formato.

Demorei dois anos para chegar a sete mil inscritos no 59 Segundos e, em fevereiro de 2019, o Economista Sincero já tinha muito mais do que isso. Ele explodiu e ultrapassou o outro de tal modo que precisei encerrar o 59 Segundos. Ainda tentei conciliar ambos por aproximadamente seis meses, mas chegou a um ponto que não dava mais.

Em 2019, o Economista Sincero cresceu um pouquinho. Mas em 2020, já durante a pandemia, cheguei a cem mil inscritos no YouTube. Em 2023, ultrapassei setecentos mil, com cem mil visualizações em média por vídeo, e mais de dois milhões de seguidores, somando as minhas principais redes.

Depois de tudo que trouxe para você neste princípio, gostaria de pedir uma coisa: pare de enrolar e corra atrás dos seus sonhos! Coloque os planos no papel, trace seus objetivos, divida em micrometas, execute-as e vá dia a dia evoluindo, aprimorando e não pare, ok? Ter uma vida próspera é responsabilidade sua!

Princípio

A leitura te levará mais longe (e mais rápido)

No mundo, já estamos batendo a casa de oito bilhões de pessoas, mas apenas 46,8 milhões são ricas. E sabe o que toda essa galera tem em comum? Um hábito muito barato, que você pode começar a fazer agora, e que existe uma possibilidade real que te ajude, e muito: a leitura.

Então, qual o motivo para não se fazer? Se eu estivesse falando algo como "todo milionário tem um jatinho", você poderia pensar que só teria uma chance maior de ser um milionário se também tivesse um jatinho. Tudo bem, mas daí você precisaria ter cinco milhões para ter esse hábito de ter um jatinho. Mas não, estou afirmando que, baseado em estudos, os milionários leem muito, e muitos deles dizem que alguns livros tiveram um impacto muito grande em suas vidas. Portanto, qual o sentido de você não colocar isso na sua vida como uma forma de potencializar a sua chance de sucesso? De verdade, eu não vejo nenhum motivo para não ler.

Entenda, se os próprios bilionários afirmam que o hábito da leitura faz total diferença na vida deles, por que a pessoa não vai ler? E detalhe, esse hábito muito provavelmente é o mais barato de todas as opções possíveis para se manter ao longo da vida, e o que mais pode impactar na vida das pessoas.

Bill Gates, que é um dos caras mais ricos do mundo e com uma baita história de sucesso, lê cinquenta livros por ano segundo dados disponibilizados em matéria recente. Mark Zuckerberg, que fundou o Facebook e também é dono do Instagram, resolveu mergulhar na leitura em 2015 e passou a ler um livro a cada duas semanas. A Oprah Winfrey, apresentadora norte-americana e uma das mulheres mais ricas e poderosas do mundo, seleciona um livro todos os meses para discutir com o pessoal em seu clube do livro. Elon Musk, atualmente o homem mais rico do mundo, quando perguntado como aprendeu a construir foguetes, respondeu: "Eu li livros". E mais, se você quer falar sobre dinheiro, Warren Buffett, que é conhecido como o melhor investidor do mundo, já disse que a leitura é a chave do sucesso.

Além de pessoas de sucesso nutrirem em comum o hábito da leitura, outro ponto que chama a atenção é que estamos falando de pessoas de sucesso vindas de várias camadas sociais, cor, credo e países diferentes. Isso significa que a prática da leitura é democrática e se adapta a qualquer um desde que essa pessoa queira ler e veja valor real neste hábito. Fato é, pessoas milionárias leem.

Pelo amor de Deus, gente. Qual continuará sendo a sua desculpa para não adotar o hábito de ler livros na sua vida depois disso?

Outro ponto importante, além dessa descoberta sobre o hábito de leitura dos milionários, é que você passa a aumentar a sua exposição à sorte ao ler, o que aumenta a chance de prosperar. E dificilmente em uma vida, que podemos considerar que atinja até 120 anos, você vai conseguir viver tantas histórias quanto vai conseguir viver essas experiências lendo livros.

Eu mesmo, por exemplo, ainda que ande viajando quase o tempo todo ao longo da minha vida inteira, não tenho como, aqui no Brasil, entender como é a vida na China, como é a vida na Índia, como foi a vida na Idade Média na Europa. Obviamente, não vivenciei isso. Mas ao ler livros de época, biografias e outros gêneros similares, posso ter uma compreensão maior do mundo.

"Pô, Charlão, eu já vejo filmes sobre todos os assuntos que existem nos livros", você pode me dizer, e eu sei que os filmes são interessantes, e também assisto a muitos. Mas a riqueza de detalhes dos livros, normalmente, é muito mais interessante do que nos filmes. Então, ler *O Senhor dos Anéis* é muito mais interessante do que somente ver o filme. Os dois são belíssimos. Agora, há uma série de filmes baseados em livros, tanto de ficção como histórias reais, em que os livros são infinitamente melhores do que os filmes, porque conseguem trazer diálogos, sutilezas, pormenores e outras experiências peculiares na escrita que o diretor do filme tem que condensar em uma hora e meia!

Muito bem, eu sei que você pode assistir ao filme, achar o resumo na internet ou fazer qualquer outra coisa do tipo para saber do que se trata o livro, mas neste Princípio 6 vou provar para você por que o hábito da leitura jamais deve ser ignorado. E, caso você ainda esteja na leitura deste livro, não o abandonou depois de ler todos os princípios, vamos para a parte da prática, que aqui dividirei em cinco categorias.

Categoria 1: Quem nunca leu um livro

Se este é o seu caso, parabéns! O meu livro é o seu primeiro. Ou pode ser que você conheça pessoas assim, que de repente compraram o meu livro porque me acompanham mas nunca leram, então, se o meu é o primeiro livro em qualquer uma das situações, parabéns a todos, afinal vocês já saíram da inércia.

Agora, sabe o que você tem que fazer? Colocar uma meta muito pequena daqui para a frente, por exemplo, um livro a cada seis meses. Busque conteúdos que vão te interessar ao máximo. Assuntos que você goste. Não pegue livros grandes. E aí, aos poucos, você vai criando o hábito. Mas atenção! Você não pode ficar, por exemplo, seis meses sem ler uma página sequer. Se você chegou até aqui, já comprou meu livro, selecione mais um para ler nos próximos seis meses.

Sério, não faça isso com você mesmo de ficar seis meses sem ler uma página. Eu estou te pedindo uma página. Se você estiver lendo uma página, já deu o próximo passo. Ficar sem ler ao menos uma página durante esse período todo é praticamente uma agressão que você está fazendo com você mesmo, porque não é possível que não possa levar um livro para o banheiro, por exemplo.

Pense comigo, nesses seis meses que você não leu nada, será que você não curtiu uma fotinho no Instagram? Não mandou uma *mensagenzinha* para alguém no Facebook? Não ficou rindo de uma dancinha no TikTok? Então, custa ler uma página a cada seis meses, no mínimo?

Categoria 2: Quem lê um livro por ano

Se você não leu praticamente nada nos últimos anos, parabéns, pois você está lendo o meu livro agora! Tente colocar isso como o primeiro passo de uma mudança que você está fazendo em uma área da sua vida, que é a área intelectual.

Presta atenção, se eu acabei de te provar que a leitura é um hábito de milionários, ao não ler nada, você está reduzindo a sua chance de ser um milionário. É como se você, todo dia, se sabotasse um pouquinho. Então, o que eu tenho para lhe propor aqui é o seguinte: se você não leu praticamente nada nos últimos anos, enquanto você está fazendo a leitura do meu livro, sugiro até que você faça agora quando acabar este capítulo, selecione o próximo livro.

É exatamente aquela coisa de dobrar a meta! Se você já consegue ler um livro por ano, você já fez o mais difícil, que é conseguir ler. Pegar um livro, carregar esse livro para cima e para baixo com você, começar a ler, chegar no meio dele e finalmente acabar. Você sabe o que está fazendo. Mas o que está faltando aqui? Ritmo. Está faltando ritmo e não é difícil consegui-lo. Então, para essas pessoas que ficam presas a um único livro por ano, proponho um desafio, que é tão factível que se bobear é possível fazer muito mais, porque estou dando uma moleza que não costumo dar. Se você está lendo apenas um livro por ano, vamos escolher dois para esse ano e três para o ano que vem, ou seja, nesses próximos dois anos, você vai ler cinco livros.

Contudo, como estou dando uma moleza aqui, quero te pedir algo agora: você vai escolher e de fato comprar esses cinco livros. Por isso, sugiro que você escolha livros fáceis. Caso tenha um livro que você comece e não goste, por favor, pare e substitua por outro. Porque a pessoa que lê pouco ainda não sabe escolher os melhores livros. Ela lê tão pouco que começa a ler um livro achando que tem que lê-lo inteiro. Eu já fui exatamente assim... Hoje em dia, se eu começo a ler um livro e não está me agradando ou se acho que não é bom, eu paro e dou chance para outro.

É como se eu conversasse com uma pessoa chata, e se tem outra pessoa legal aqui do meu lado querendo falar comigo também, o que que eu vou fazer? É como se o livro fosse uma pessoa. Para quem lê muito igual a mim, o livro torna-se uma companhia. Quem lê um livro por ano deve dobrar a meta. Porque se lermos dois livros no primeiro ano e depois dobrarmos essa quantidade, vai ficar quatro, ou seja, ao final de dois anos serão seis livros lidos. É extremamente possível, e para mim é moleza. Só que eu estou dando essa molezinha porque quero te apertar do outro lado, ou seja, estou cobrando que você compre esses livros, mesmo que seja dividido, três agora e três depois, porque é muito importante que nos próximos dias você compre... Ou você não quer ser um milionário?

Em 2022 confesso que li muito pouco. Terminei o ano com doze livros lidos, o que representa um ano ruim para mim em termos de leitura, isso porque foi um ano de mudanças, obras... Mas perceba que mesmo assim não é uma quantidade tão ruim, afinal ainda é mais do que a média de leitura do Brasil.

Categoria 3: Quem lê três livros por ano

Para quem leu três livros por ano nos últimos anos, o que dá uma média de um livro a cada quatro meses, eu tenho uma mensagem: parabéns, porque você está acima da média. O brasileiro lê em média cinco livros por ano, sendo apenas 2,4 leituras incompletas e 2,5 livros finalizados. Portanto, parabéns! Você já está acima da média! Essa é a boa notícia, mas a ruim é que você ainda está próximo da média. Ou seja, com muito pouco você pode se afastar. Topa? Beleza! Então o que é possível fazer daqui para a frente? Se você já consegue ler três livros por ano, para aumentar esse número, provavelmente o que está faltando é um pouquinho de organização, atenção e disciplina. Nesse caso, é necessário adquirir alguns cuidados como colocar o telefone em modo avião enquanto lê, fechar a tela do computador, separar um dia e um horário para leitura e não se permitir ficar um mês sem abrir um livro, porque muitas vezes você pode ter lido três livros nas férias, e ao longo do ano você não lê nada e depois bate aquela sensação de arrependimento de que poderia ter lido mais.

Pessoas que frequentemente parecem nunca terminar uma leitura precisam melhorar a produtividade. Então, se você ficou do dia 1º até o último dia do mês sem abrir um livro, acione um alerta. Você não precisa acabar um livro em um mês, o problema é ficar sem ler nada, pois daí é uma oportunidade que você está perdendo todo mês de evoluir um pouquinho. Ou você ainda é aquele aluno do colégio que deixa para estudar tudo no último dia da prova?

Antes que você me diga que não tem tempo para ler nada, sinto lhe informar: a vida desses bilionários, que às vezes cuidam de impérios inteiros, é muito mais atribulada que a nossa, mas ainda assim se organizam o suficiente para ter tempo de ler. "Ah, Charles, mas é que eu tô na correria..." Cara, o Warren Buffet, que é socio de diversas empresas, superinvestidor, com milhares de funcionários etc., consegue ler, e por que você não conseguiria? Prioridade!

Categoria 4: Quem lê cinco livros por ano

Se você é do grupo de pessoas que tem lido pelo menos cinco livros por ano, meus parabéns! Você está bem acima da média. E antes que você pense "que bom, posso diminuir para quatro, então?", eu quero te lembrar que os multimilionários começaram nesse ponto e evoluíram, alguns para um ou dois livros por mês. Mas não se desespere, você já está no caminho. O próximo passo é refletir sobre as suas leituras. Esses cinco livros que você está lendo por ano estão te ajudando em várias áreas da sua vida? Será que você tem feito as melhores escolhas? Daqui para a frente, tão importante quanto aumentar a quantidade de livros, já que você criou esse hábito, é aumentar a qualidade em paralelo com essa quantidade.

O mais difícil você já fez: você criou um hábito que a maior parte dos brasileiros não tem. E você não só criou um hábito, como também vem conseguindo mantê-lo. Por isso, é importante também buscar sempre as melhores leituras para nós ao passo que vamos lendo cada vez mais. Como? Fazendo buscas dos temas, lendo livros sobre áreas do seu interesse, mas também áreas novas que podem abrir os seus horizontes, você pode tentar incluir biografias ou mesmo livros históricos, se já não os estiver lendo. Nós temos sempre que buscar uma leitura que nos agregue, temos que melhorar o valor, como se fosse o valor agregado da nossa leitura. Por exemplo, imagine que você leia cinco livros por ano, livros muito bons. Em cinco anos você terá 25 livros lidos, e se forem livros bons, podem mudar completamente a sua vida. Agora, você pode estar pensando: "Ah, eu estou lendo cinco livros por ano, mas só livros como *Harry Potter*, *Senhor dos Anéis*...". Por isso eu te digo, uma leitura é melhor que nenhuma, mas nós sempre podemos melhorar.

"Tá, Charles, mas por que você não falou nos outros passos sobre o que devo ler?". Muito simples, porque primeiro você precisa criar o hábito. Se você criou o hábito de ler com *Senhor dos Anéis*, para mim está ótimo. Mas vai chegar uma hora que você precisará sair disso, e buscar leituras mais desafiadoras. É como se alguém chegasse para mim e falasse: "Poxa, eu já tô começando a beber, eu bebo cerveja". Aí respondo: "Sim, tá bom, agora eu vou te ensinar a beber um vinho". A questão é sempre melhorar. Esse é o ponto alto deste princípio.

Para encerrar, sempre que estiver desanimado com a sua situação, ***lembre-se de que Salomão preferiu conhecimento a dinheiro.*** Portanto, quanto mais conhecimento nós conseguimos adquirir, maior a nossa possibilidade de mudar de vida. Posso afirmar isso porque, além de entender na teoria como essa dinâmica funciona, também a vivenciei na prática. Não pense que você vai chegar longe sem conhecimento.

Princípio

Persiga o conhecimento
diariamente

Salomão foi o homem mais rico do mundo, rei de Israel entre 971 a 931 a.C., e sua sabedoria é tema de estudo até hoje. Então, para trazermos na prática o que podemos aprender com Salomão e o mundo moderno, precisamos perseguir o conhecimento diariamente. Contudo, muitas pessoas, principalmente no início da vida, abrem mão de conhecimento no trabalho, de estar, de alguma forma, próximas de pessoas que têm um conhecimento muito grande em troca de dinheiro.

Então, às vezes, a pessoa não quer ser estagiária em uma empresa, prefere trabalhar em outro lugar porque vai ganhar um pouco mais e deixa de trabalhar com alguém inteligente quando, na realidade, principalmente no início da vida, quanto mais conhecimento pudermos adquirir de gente que tem conhecimento efetivo, sobretudo na prática das coisas, mais vamos conseguir avançar. Por exemplo, trabalhei com várias pessoas que tinham muito conhecimento. Sentia que isso estava acontecendo e deixei de ir para locais em que eu poderia ganhar mais porque queria continuar trabalhando com pessoas que conheciam muito, mesmo que ganhasse menos.

Assim, além de entender esse princípio na teoria, eu também o vivenciei na prática, pois quanto mais conhecimento adquirimos, mais longe conseguimos chegar. E não pense que se você está chegando muito longe sem conhecimento, você não vai, de alguma forma, pagar um preço por isso depois, porque se você está chegando longe sem conhecimento, isso significa que, na verdade, você poderia estar chegando muito mais longe. O fato é esse.

Portanto, persiga o conhecimento diariamente, ainda mais depois que falei no princípio anterior sobre livros. Você pode perseguir conhecimento de várias formas hoje em dia porque a informação está livre, descentralizada, e você consegue obtê-la por meio do YouTube, Instagram e outras redes sociais e plataformas online.

Agora, por exemplo, da Idade Média até a década de 1990, como você poderia adquirir conhecimento? Lendo e conhecendo alguém que tivesse conhecimento, essa era a chance. Então alguém que morasse em uma cidade do interior do Brasil teria dificuldade de ter acesso, muitas vezes, ao conhecimento do cara que morava em Nova York. Existia uma separação onde a própria geografia jogava contra boa parte das pessoas; se morasse no interior de São Paulo, para eu ter o conhecimento do cara que morava em Nova York sobre algumas coisas, eu teria que me mudar para Nova York, teria que ter dinheiro, teria que ter uma série de condições. Entretanto, com o advento da internet no final dos anos 1990, o jogo virou.

Hoje nós temos a informação toda que precisamos à disposição, pagando ou não. Pagando é bacana? É sim, e sabe por que tem quem pague por conhecimento se tem de forma gratuita? Porque normalmente quando você paga, você paga para ter uma trilha, você paga para ter um caminho, você paga para ter uma facilidade, mas o conhecimento gratuito já está disponível.

Na década de 1990 comecei a fazer curso de inglês, até que a minha família acabou não tendo mais dinheiro para que eu continuasse o curso. Então eu parei devido à falta de grana. Então, quando comecei a trabalhar, no início dos anos 2000, voltei a fazer inglês, só que, como eu trabalhava o dia inteiro e estudava à noite, comecei a ter dificuldades. Não conseguia ir às aulas de inglês, porque trabalhava muito. Sabe o que aconteceu? Eu tive que parar as aulas de inglês porque não tinha um curso próximo da minha casa nem próximo do trabalho; não conseguia organizar a minha agenda porque tinha que ir fisicamente a um lugar, tinha que fazer um deslocamento de meia hora para ir e voltar, sem contar que em um dia chove, no outro o sol está rachando, daí num dia não dá para ir, no outro você é assaltado... uma coisa horrível!

Então como funciona atualmente? Qualquer um pode abrir o YouTube, digitar "como aprender inglês" e vão aparecer milhões de opções – enquanto escrevia este princípio resolvi fazer esse teste e foram encontrados 327 milhões de resultados. Conseguem perceber como tudo mudou? Não aprende inglês hoje quem não quer. Qual o princípio? Persiga o conhecimento diariamente. Então você tem que ver o que precisa de conhecimento e começar já a perseguir.

Se a vida era uma corrida com barreiras, muitas foram retiradas nos últimos anos, e a geográfica é uma das mais difíceis. Como é que uma pessoa poderia aprender certas coisas morando em locais que você não tinha aquele conhecimento? Não era possível, você tinha que sair de lá. Hoje, qualquer pessoa em qualquer município do Brasil tem acesso, com um computador e internet, a qualquer tipo de conhecimento de forma gratuita.

Cara, para estudar inglês, lembro que tentei fazer o curso aos sábados no centro do Rio. Era caro, eu tinha que ir presencialmente, então comecei a trabalhar todos os sábados e domingos. Tentei ir uma hora ou outra, paguei um ano, e mesmo assim não consegui. Sabe aquele rolo? Era isso o que tinha para aquela época. Mas hoje já posso me sentar confortavelmente na sala de casa, qualquer dia e horário e estudar o que eu precisar de forma gratuita. Então, não tem desculpa nem enrolação!

Atualmente, é muito mais simples acessar o conhecimento, principalmente com um celular na palma da nossa mão. Primeiro, é importante saber que quanto mais buscamos o conhecimento em uma determinada área, mais prosperamos naquilo. Por isso, é muito importante que essa busca por aprender sempre seja feita diariamente, porque é a construção desse hábito que vai te impulsionar para chegar ainda mais longe.

Mas como já foi dito anteriormente, muitas barreiras foram removidas nos últimos anos e décadas. Então se tornou muito mais simples não só consultarmos assuntos de nosso interesse, mas também acompanhar pessoas de interesse nas nossas redes sociais. Eu sei que os novos meios de comunicação podem ser um escape quando queremos nos distrair, mas as redes sociais também podem ser uma ferramenta para estarmos aprendendo cada vez mais, de forma diária e gratuita. E agora eu te pergunto: "Pô, se você é um programador, um advogado, você está fazendo um trabalho ativo de seguir as pessoas que entendem da sua área nas redes sociais?".

É importante também seguir essas pessoas que geram e criam conteúdo digital, não só porque elas vendem isso, mas também porque boa parte do que transmitem já está disponível de forma gratuita; elas estão fazendo a captação de lead, ou seja, estão atraindo esse público por meio da criação de um conteúdo de valor, que possibilita a aquisição de conhecimento em diversas áreas.

Neste Princípio 7, a pessoa tem que se esforçar para se expor à sorte, e o que significa isso? Para explicar, aqui vai um exemplo da história do Bill Gates que ficou conhecida por causa do livro *A Psicologia Financeira*. Bill Gates estudou em um colégio em Seattle com trezentas crianças, em 1968, o que aconteceu? Esse colégio era um dos únicos do mundo que tinha um computador, porque um cara na comunidade achou que era importante ter um. Todo mundo cagava e andava para o computador, pois ele ainda não tinha uma função. Aquela era a década de 1960, mas mesmo assim um cara achou interessante, fez um bazar e comprou um computador para esse colégio em Seattle onde estudavam essas trezentas crianças. Nessa época, a chance no mundo de ter contato com um computador, ainda mais uma criança, era menor do que uma em um milhão, e o Bill Gates estudou nesse colégio onde ele teve o acesso ao computador. Lá, estudaram ele e o Paul Allen, o outro fundador da Microsoft.

Os dois se interessaram por, até então, essa nova tecnologia e começaram a gostar e a se interessar por aquilo. Hoje, Bill Gates fala o seguinte: "Se não fosse aquele computador, talvez não existisse Microsoft".

Então, o que acontece? Nesse caso, ele estava exposto à sorte, foi um acaso, mas ele estava ali. Ter contato com o computador garantiu o futuro de todas as crianças? Não, senão nós teríamos trezentos bilionários, que foi o número de crianças que estudavam lá. A presença de um computador na escola não garantiu o sucesso de todos, mas ele mesmo afirma que isso foi essencial para a empresa dele.

Portanto, qual conclusão podemos tirar disso? Quanto mais você estiver exposto à "sorte" e quanto mais você estiver buscando conhecimento, maiores serão as suas chances de prosperar. Você pode estar se perguntando: "Ah, então só a sorte me interessa?". Mais ou menos, porque tem o outro lado também, o lado do risco, ou seja, o azar.

Nessa história do Bill Gates, ainda existe um terceiro amigo deles, chamado Kent Evans, porém esse terceiro fazia montanhismo e acabou por falecer. A chance de alguém morrer fazendo montanhismo nessa idade também é menor do que uma em um milhão, mas o cara se expôs ao risco mesmo assim. Quais as lições que nós podemos tirar disso? Você tem que se expor ao conhecimento, buscar formas de melhorar, evoluir e tentar evitar o risco a todo custo.

Não tem como sabermos os números exatos, porque não existe uma pesquisa sobre sorte, riscos... mas dá para pensarmos da seguinte forma: a maior parte da população leva uma vida média. Acordamos, trabalhamos, estudamos... Só que tem uma parcela da população que não deu sorte. E o que isso quer dizer? Infelizmente um acidente de carro, um avião que cai, uma empresa que quebra... às vezes é culpa sua, às vezes não é, e você não fez nada de errado... Então eu tenho um amigo que, infelizmente, os pais sofreram acidente de carro, o cara ficou órfão e perdeu todo o dinheiro, se fodeu na vida, no início dela. Mas isso não é culpa dele.

Por outro lado, existem pessoas que possuem o famoso "cu virado para a lua". Aquela pessoa que tem sorte pra caramba, é um cara que ganha na loteria. É a pessoa que de repente casa com alguém muito rico, e não é um golpe, a pessoa realmente se casou com alguém muito rico. É sorte, aquela pessoa que deu sorte e que tudo deu certo na vida. Ela entrou para trabalhar em uma empresa, a empresa abriu o capital e ela ganhou cem milhões... eu conheço gente assim, que não tinha dinheiro algum, foi trabalhar e aquilo deu certo. Já aconteceu isso, nos Estados Unidos, com algumas startups em que o cara era um simples prestador de serviços no Facebook quando começou, fez um cabeamento, e então o Facebook não tinha dinheiro para pagar, por isso pagou em ações a um valor ridículo e depois rendeu milhões...

Logo, é sorte. "Ah, mas o cara aceitou, ele era visionário...", porra nenhuma, ele aceitou porque ele queria o trabalho. Então tem os dois extremos, mas também tem a gente que está aqui, que está vivendo... Por exemplo, na falta de sorte, imagina a pessoa que trabalhou a vida inteira no Banco Nacional, que quebrou, como o Banco Santos, ou, ainda, o cara que trabalhou para um Eike Batista da vida, colocou todo o dinheiro na empresa e perdeu tudo... então assim é a pessoa sem sorte, a pessoa que está na média e a pessoa com sorte.

Mas qual o grande problema disso? Já percebemos que temos que tentar nos expor à sorte, é possível tentarmos, sabe como? Aproximando-nos de pessoas inteligentes, tentando trabalhar em bons locais, lendo mais, melhorando de vida... Se o Bill Gates teve contato com o computador e evoluiu, porra, se eu tenho filhos, eu vou tentar colocá-los em um colégio melhor, na aula de música... Vou tentar expor meu filho e expor a mim mesmo a coisas que nos façam evoluir.

Qual é o grande problema que eu tenho percebido conversando com pessoas? Normalmente quem está aqui tem uma visão de mundo de que ele é só isso mesmo, ou que o mundo é sorte ou, até mesmo, que o mundo é falta dela. O problema é que, para boa parte da população, não é que ela tenha muita falta de sorte, mas tem o cara que nasceu em um país pobre, que mora em uma comunidade, que não tem nem muito acesso à água, saúde e educação. É justamente essa pessoa que tem dificuldade de entender que ela pode evoluir.

Enquanto nós temos o Bill Gates em uma ponta, também tem o seu amigo na outra. Por isso eu digo: você pode estar em várias situações diferentes ao longo da sua vida, mas o importante é fazer um movimento de sempre tentar evoluir e melhorar a sua condição atual.

Dito isso, esteja preparado para a sorte. Acontece muito na minha área de atuação, redes sociais, de as pessoas falarem: "Poxa, Charles, você conhece o fulano? Eu já te vi numa foto com ele, do nada esse cara explodiu nas redes sociais, o cara cresceu, evoluiu...", aí eu respondo: "O 'de repente' foram dez anos do cara trabalhando".

O princípio é: quanto mais você estiver exposto ao conhecimento, mais essa sorte pode acontecer. A sorte também está relacionada com a preparação que, por sua vez, está relacionada com o conhecimento. Você pode até falar: "Poxa, legal, tudo o que você está falando é interessante, mas o tema aqui é perseguir o conhecimento diariamente". Isso é verdade, mas o que eu estou tentando transmitir é que perseguir conhecimento diariamente vai fazer com que, se pintar um trabalho, você vai ter "o conhecimento"; se pintar um negócio, você vai ter "o conhecimento"; se você conhecer uma pessoa interessante, solteira e ela se interessar... Quanto maior for essa bolha de conhecimento, maiores serão as suas chances de prosperar em tudo, nos relacionamentos, em trabalhos, em relação ao dinheiro... Esse é o norte do Perseguir o Conhecimento. Porque senão, se você não for melhorar de vida, para que perseguir o conhecimento? Por vaidade? Por ego? Não faz sentido.

Para além de Perseguir o Conhecimento Diariamente, essa busca pelo conhecimento deve ser feita de forma dirigida, correlato à sua área de atuação e, também, ao conhecimento genérico, porque quem mantém o conhecimento estrito à sua área de atuação pode acabar "bitolado". Quando você estuda outras áreas de atuação, você expande seus horizontes.

Eu trabalhei no mercado financeiro e depois fui trabalhar no mercado de bebidas, e nesse mercado tinha muita gente que só conhecia esse mesmo mercado de bebidas, então eu conseguia, muitas vezes, inovar, porque eu tinha um outro conhecimento. E ali, eu também entendi que, muitas vezes, conhecimentos de outras áreas podem te ajudar na sua área.

Princípio

Adote mentores, ainda que eles não saibam sobre a sua existência

Já falamos no livro que, depois do final da década de 1990, com o advento da internet as barreiras geográficas caíram e o conhecimento transbordou para todas as partes do mundo. Diante disso, nós acabamos com um dos grandes problemas que limitavam a evolução das pessoas, que era o contato com os mentores. E esses mentores podem ser espirituais, profissionais, gurus, chame como quiser. Na minha cabeça, o mentor é alguém que chegou a lugares que você ainda não chegou e quer chegar. É importante explicar o que é o mentor porque não quero que você pense "eu não preciso do mentor, eu estou bem aqui". A questão é: você quer evoluir? "Quero", então porra, vai escutar alguém que já chegou aonde você quer chegar. Porque esse cara pode te ajudar demais nessa caminhada, você não precisa cometer os erros que ele cometeu e está sempre avisando.

A importância do mentor para você pode se dividir em duas partes:

A primeira consiste em dar a direção correta. Porque se alguém já chegou lá, esse alguém sabe o caminho. É como subir uma montanha, você não vai precisar ficar olhando cada canto, descobrindo em que pedra você vai se agarrar, ter o risco de cair... se você falar com alguém que já chegou inúmeras vezes naquele topo, no pico, ele vai poder te mostrar o caminho. Então o primeiro ponto do mentor é te dar o caminho, é te dar o mapa.

A segunda, que é tão importante quanto chegar lá, é fazer com que você ganhe velocidade, porque você vai poder chegar sozinho sem o mentor, só que você corre o risco de ficar pelo caminho ou de demorar muito mais tempo para chegar aonde você quer e, provavelmente, quando você chegar aonde quiser, você vai querer ir para um outro ponto. Então, é como se a vida fosse um videogame no qual vamos desbloqueando novas fases. O mentor pode falar para você: "Olha, agora tem uma armadilha. Agora abaixa. Agora pula. Agora pega a chave. Agora cuidado para não perder a vida".

Agora que você já sabe o que é o mentor, que é quem vai te levar aonde você quer e vai acelerar esse processo, o que é que você pode fazer para adotar um mentor?

Bom, a primeira parte é que o mentor não precisa saber da sua existência. Hoje muitos mentores (empresários, cientistas, influenciadores...) divulgam seus conteúdos de forma gratuita pela internet. A primeira forma de você se conectar é simplesmente apertando o botão de seguir nas redes sociais deles. Simples assim. Dessa forma, você resolveu a sua vida nessa área? Absolutamente não, mas você já deu o primeiro passo. Quais seriam os próximos passos? Leitura de biografias, como já falamos no Princípio 6, a leitura vai te ajudar muito no entendimento da vida de outras pessoas e no caminho que elas seguiram.

Então, você pode seguir pessoas em redes sociais, você pode ler biografias e, caso você queira dar passos mais longos, muitos desses influenciadores, gurus e mentores têm os seus eventos pagos, inclusive presenciais.

Dito isso, que você pode seguir, avaliar e tudo mais, seria muito interessante que você buscasse, de imediato, pessoas – de novo vou bater nessa tecla – correlatas aos assuntos do seu dia a dia, mas que também atuem em outras áreas. Quais áreas, por exemplo? Saúde, obviamente de fontes seguras, pessoas que estudaram determinado assunto. Você tem, hoje, informações que nós não tínhamos há vinte, trinta anos. Então todas as informações que sabemos sobre saúde, sobre açúcar, gordura, refrigerante, dietas saudáveis ou não... estão disponíveis, e ainda há especialistas que falam para a grande população nas redes sociais e que podem despertar o seu interesse de falar com seu médico, ou buscar determinado assunto mais a fundo. Seguir mentores na área da saúde pode melhorar muito a sua vida, então a área da saúde já é uma delas.

Outra área: espiritualidade e meditação. Já foi provado o quanto uma meditação potencializa a nossa mente.

Meditação e espiritualidade são áreas em que você dificilmente conseguirá as melhores pessoas do mundo na sua região, seja onde você morar, mesmo que seja a melhor capital do mundo, você não vai ter todos os melhores especialistas morando em um lugar só, mas todos eles moram na internet. Então, você tem tudo isso à sua disposição.

Todos os grandes especialistas do mundo podem ser os seus mentores e gurus, mesmo que eles não saibam disso. Exercícios físicos, leitura, desenvolvimento. Quem são os especialistas nas áreas em que você quer evoluir? Você sabe quem são? "Não sei". Bichão, entre no Google, estude, dê seus pulos. Porque quando uma pessoa realmente quer alguma coisa ela vai atrás. É uma questão de tomada de decisão, porque na hora que a pessoa se decide, acabou, nada vai impedir, ela vai enfiar aquilo na cabeça e vai encarar qualquer coisa.

Você pode estar pensando: "será que eu preciso de mentores? Eu já sou formado, eu tenho um bom trabalho...". Olha, você pode até não precisar, mas o Bill Gates precisou, o Warren Buffett precisou e todos os grandes bilionários e empreendedores precisaram. Então você pode ir longe sem mentores, mas com certeza você iria mais longe ainda com esses mentores, porque se a vida – como eu gosto de falar – é um grande quebra-cabeça, com muitas informações, os mentores podem te dar muito mais peças do que você conseguiria sozinho.

Buffett tinha o mentor dele na área financeira, ele evoluiu muito com isso. Mas quanto tempo será que ele demoraria para aprender sem esse suporte? Talvez ele não estivesse onde está hoje sem um mentor.

O homem viveu por muito mais tempo sem tanta informação do que com toda a informação que tem hoje, então, provavelmente, você que está lendo este livro, é da primeira geração que tem acesso a tanta informação e a tantas pessoas de forma gratuita. Aproveite isso porque, com o tempo, vai ser tão comum as pessoas entenderem como aproveitar esse tipo de disponibilidade de informação, que já não vai ser um diferencial. Portanto aproveite, nós estamos no meio de uma virada tecnológica, é uma oportunidade, e quem souber aproveitar vai se diferenciar.

Você está justamente no processo de evolução, porque só depois de organizar sua vida é que você vai conseguir dar saltos ainda maiores para uma independência financeira. Afinal, não existe uma independência financeira se a pessoa não arruma a casa antes.

Quero dar um exemplo, por sorte, na minha vida, consegui quebrar as barreiras geográficas e tive contato com mentores fisicamente. Nas empresas em que eu trabalhei, principalmente no início da minha carreira, tive chefes aos quais eu devo muito, porque eles exigiam tanto de mim todos os dias (e eu os detestava tanto por isso naquela época), que eu passei a dar mais do que o máximo que eu poderia fazer, e isso me levou a resultados que eu jamais esperava ter tido. Eles me forçaram de uma tal forma que me fez evoluir imensamente.

Eu também tive, na minha família, o meu avô (e meu herói), que foi o meu mentor pelo fato de nunca deixar que eu aceitasse ser uma pessoa medíocre. Além disso, ele também me exigia resultados e eu percebo que isso teve um grande impacto na minha vida, isso porque o meu avô foi o meu mentor de negócios, de dinheiro, de espiritualidade, foi o meu guia para o judaísmo, e despertou a curiosidade que eu tenho hoje no mundo. O meu avô, entre as décadas de 1960 e 1980, pegava o dinheiro que ele ganhava e viajava muito com a minha avó, em uma época que ninguém corria o mundo. Então, quando era criança, um dos programas que fazíamos era ir ao aeroporto quando eles viajavam. Lembro de mim criancinha indo buscar meu avô no aeroporto quando ele regressava de sua viagem pelo mundo. E foi assim que ele despertou a curiosidade pelo mundo que eu tenho hoje em dia.

E aí você pode pensar "o Charlão deu uma baita sorte"; sim, eu dei uma baita sorte, mas você está ignorando o fato de que sempre tem o outro lado da história. O meu pai abandonou minha família muito cedo, tivemos problemas com dinheiro, e a minha mãe ainda teve que contar com a ajuda dos meus avós na minha criação e na de minha irmã. Até poderia estar aqui escrevendo um livro sobre as dificuldades da minha vida, só que eu prefiro muito mais focar aquilo que me ajudou a chegar mais longe. Prefiro buscar evoluir e não escrever um livro sobre vitimização.

Como converso com muita gente, costumo receber vários contra-argumentos como estes:

- Ah, eu não tenho dinheiro.

- Ah, eu não tenho tempo.

- Ah, eu tenho azar com isso.

- Ah, meu pai abandonou minha família.

Cara, a pessoa fica se justificando e não foca. Eu não tenho como te ajudar a mudar o que aconteceu na sua vida antes deste livro; mas tenho como te incentivar a mudar daqui para a frente.

Perceba uma coisa, a pessoa sai do ponto em que ela está a partir do momento que ela se movimenta; se ela não fizer absolutamente nada de diferente dos dias ordinários dela, acabou. Pense em acordar mais cedo, ler um livro novo, pesquisar sobre novos assuntos, conhecer pessoas cultas, ter uma alimentação mais saudável etc.

Eu, por exemplo, caminho quarenta minutos na esteira, são quarenta minutos de conhecimento todos os dias, pois é nessa hora que escuto um podcast, vejo um vídeo, faço uma aula... quarenta minutos é tempo pra caramba.

Princípio 9

Exercite a espiritualidade

Neste princípio, já vou lhe propor de fazermos uma diferenciação entre religião e espiritualidade para depois você não vir me dizer: "Ah, Charles, gostei do livro, estou gostando de tudo, estava bom até aqui, mas eu não tenho religião, então vou pular este princípio". Se você fizer isso, é porque você está confundindo religião com espiritualidade, então começo este princípio explicando a diferença entre os dois.

Religião é um conjunto de práticas, costumes, rituais, tradições, dogmas, crenças que incluem uma força externa suprema que te indica um caminho a ser seguido, isso é uma religião. Também temos a questão das penalidades e bonificações ao longo desse caminho, então na religião você tem princípios, dogmas, coisas que você tem que seguir, organizações, métodos, horários, alimentos que você pode comer, alimento que você não pode comer, celibato em algumas doutrinas e em outras não...

Então, na religião você tem esses costumes, práticas e tradições com penalidades e bonificações ao longo do caminho. E a religião inclui o quê? Um Papa, um Rabino, Jesus, Maomé. Uma coisa interessante das religiões que movimentam o mundo há séculos é que com a religião você faz parte de um grupo, ela proporciona a você uma sensação de pertencimento. Então, eu tenho um conforto ao saber que não estou sozinho no mundo sendo judeu. No Brasil, por exemplo, o movimento evangélico acabou entrando em comunidades e sendo muito importante, porque na minha opinião ele ocupou o lugar do Estado. As pessoas se ajudam, as pessoas se compreendem, fazem movimentos e organizações como o Sopão, doam cestas básicas, roupas, brinquedos, e assim por diante, considero esse movimento umas das melhores coisas que aconteceu no Brasil.

Agora, a religião tem esse problema das penalidades, quer dizer, se você eventualmente casa sem cumprir um ritual ou peca de alguma forma, haverá uma penalidade, mas a religião te dá essa sensação de pertencimento, ou seja, ela faz com que você se sinta como parte de um plano, que inclui outras pessoas que pensam da mesma forma. Então isso é uma religião.

Agora, a espiritualidade, que é o tema deste princípio, pode ser resumida como acreditar no bem, em uma energia superior, ou não, e que pode estar do seu lado no mesmo plano. Não exige rituais, crenças, dogmas. Apenas existe a vontade de se tornar um ser humano melhor, uma pessoa que julga menos os outros, que cobra menos, que ajuda mais, que tenta escutar o próximo, se sensibiliza com o que está acontecendo no mundo. Então, para ter espiritualidade, você não precisa pertencer a nenhum grupo nem seguir nada, você só tem que tentar ser uma pessoa melhor todos os dias. Então a gente divide isso tudo.

Eu, particularmente, gosto da junção dos dois, da religião e da espiritualidade, pois elas podem te trazer esperança; muitas vezes isso me ajudou, e também ajuda muitas pessoas. Quando fiz o Caminho de Santiago de Compostela, busquei um pouquinho isso também, me encontrar, entender o que motiva as pessoas, entender o que está acontecendo. Mas se você chegou até aqui, está gostando do livro e não acredita em uma religião, este princípio também é para você, porque espiritualidade é para qualquer um, já que eu te expliquei aqui que se trata de acreditar no bem e querer o bem do próximo. Você quer essas coisas? Então você já está no princípio.

Muita gente tem certa resistência quando se fala em espiritualidade, porque acha que tem que ser religioso para ser espiritualizado e não é isso; na realidade, é exatamente o conceito apresentado aqui.

Agora, vou compartilhar com você uma história sobre esperança, bem como de religião e espiritualidade.

Certa vez, o grande sábio Rabino, Rabbi Israel Salanter (1810-1883), estava passando a noite na casa de um sapateiro. Tarde da noite, Salanter viu que o homem ainda trabalhava à luz de uma vela tremulante quase se extinguindo – ou seja, ele passou na casa do sapateiro e viu que tinha uma luz. O Rabino aproximou-se dele e falou: "Senhor, é tarde, sua vela em breve vai se apagar. Por que ainda está trabalhando a uma hora dessas?". Sem se deixar influenciar pelas palavras do Rabino, o sapateiro respondeu: "Enquanto houver luz, é possível remendar".[1]

1. O *Livro dos Valores Judaicos, um guia diário para uma vida ética*, p. 69.

Então – aqui a gente pode colocar a história inteira –, a história aqui está dizendo que, enquanto tem luz, tem esperança, então enquanto a gente está vivo, tem esperança, e esse é o princípio da espiritualidade. Na história, o autor fala em remendar, ou seja, é o mesmo que remediar uma situação difícil, assim como podemos nos reconciliar com aqueles dos quais nos afastamos, ajudar a levar paz ao seio familiar, fazer caridade, auxiliar um amigo.

A espiritualidade pode nos ajudar a buscar fazer o bem e tentar ser uma pessoa melhor, independentemente da sua religião. Então, esse ponto serve para todo mundo. Não interessa se você é muçulmano, judeu, cristão, umbandista, não interessa a sua religião. Aqui estou falando de espiritualidade, em querer o bem do próximo. **Enquanto estivermos vivos, é possível fazer o bem.**

Resumindo, a chave deste princípio consiste em exercitar a espiritualidade. Contudo, como a pessoa pode achar que exercitar a espiritualidade, por exemplo, é ler o texto, rezar o terço ou, no meu caso, não comer uma carne proibida e tal? Se ainda estiver confuso em relação a isso, volte no início deste princípio e se atente para a diferença entre religião e espiritualidade.

Muito bem, entendido o que é espiritualidade, como é possível sair do zero para alguma coisa? Fazendo imediatamente aquilo que está ao seu alcance. Eu não tenho nada a ver com a vida de ninguém, não quero saber em que momento a pessoa está da vida, mas quero ajudar.

Se você descobriu que espiritualidade é fazer o bem, querer o bem do próximo e criar um mundo melhor, você tem que olhar para dentro e ver o seguinte: hoje você é uma pessoa que deixa o mundo pior, igual ou já o deixa melhor? Em qual dessas três áreas você se inclui? Só você pode fazer esse julgamento. "Poxa, Charles, nos últimos anos eu tenho ficado uma pessoa ressentida, porque não estou feliz no meu trabalho", ou "Não estou feliz porque a minha esposa me abandonou", ou ainda, "Acho que o mundo não foi justo comigo". Pô, legal, você está tornando o mundo pior porque você acha que o mundo te agrediu. Então aproveita agora esse momento e zera isso. O mundo te machucou e você está devolvendo isso para ele, o que consequentemente contribui para que ele se torne um lugar ainda pior. Então, se a gente está falando de espiritualidade, de querer o bem, você precisa passar uma borracha e começar daqui para a frente... Não vai adiantar nada remoer as merdas que você viveu no passado.

Voltando no meu caso, por exemplo, perdi quatro filhos. Vai adiantar eu agredir o mundo? Eu ficar remoendo isso todos os dias? Eu falar mal dos meus amigos que têm filhos? Eu olhar torto para quem tem filho? Ou será melhor exercitar a minha espiritualidade, e assim entender que isso deve ter acontecido por algum motivo e que a única coisa que eu posso fazer é tentar agir de uma forma que eu melhore o mundo e que, em algum momento, eu vou entender o que aconteceu comigo?

Quando acabamos de passar por um problema, a gente não consegue entender na hora o porquê de ele ter acontecido. Viemos a este mundo para viver uma vida de mais ou menos uns 120 anos, mas o mundo em si tem milhões de anos, e daí vamos na maior afobação querendo entender tudo? É impossível! Portanto, o cara que de alguma forma foi machucado pelo mundo e retribui machucando a todos, não é algo muito razoável.

Seguindo numa análise comportamental entre os variados perfis de pessoas e sua relação com a espiritualidade, temos o caso de uma pessoa neutra, que basicamente é aquela que diz: "Eu não exerço a minha espiritualidade, então não devo nada para ninguém. Eu estou aqui no mundo para pegar o que é meu e não acredito em nenhum plano além da vida. É isto aqui, a vida é esta aqui, a gente vem, é feito do pó, ao pó a gente volta e foda-se". Você pode estar certo, talvez você se sinta bem com isso, mas te machucaria muito, tomaria muito seu tempo ou seria tão danoso assim se só a título de experiência você tentasse, por um ano, exercitar a sua espiritualidade?

Escutar um pouquinho mais alguém, não falar mal do próximo, tentar se policiar. A título de experiência, eu estou te pedindo aqui. Olha, você acha que o mundo não faz diferença ser de um jeito ou de outro? Ok, eu não posso te provar que faz diferença, né? Mas o que eu posso aqui é te pedir, você poderia, extraordinariamente, por um ano, agir de forma diferente? Só para ver se a sua própria vida muda; agora, se nada acontecer, você pode voltar a ser uma pessoa egoísta, e cuidar da sua vida. Está tudo indo bem para você, você tem uma ótima carreira, tem dinheiro, uma família feliz, você acha que não faz diferença exercitar espiritualidade, querer o bem do próximo, e está tudo bem. A única coisa que eu te peço aqui é que você tente por um ano, não mais nem menos do que isso, cuidar desse aspecto.

Agora há também todo aquele grupo de pessoas que já exerce a espiritualidade. "Charlão, aos domingos eu sirvo uma sopa para pessoas idosas, eu dedico meu tempo, estou em um momento legal de vida; eu e minha esposa, uma vez por mês, nos juntamos e doamos roupa para alguém..." Cara, legal, continue assim. Provavelmente, ao longo da sua vida, como na minha, você vai levar algumas pancadas muito grandes, e aí o desafio é, enquanto você está apanhando, continuar exercendo a espiritualidade, porque enquanto está tudo bem eu também sei exercitar a minha espiritualidade, mas a hora que você leva uma pancada e cai no chão, é nesse momento que quero ver você exercitar a sua espiritualidade. Mesmo não sendo uma pessoa ressentida, eu entendo que em alguns momentos da vida, praticamente todo mundo passa por alguma situação em que acha que o mundo inteiro está contra você, como se fosse uma conspiração divina, que faz com que você acredite que não precisa ser uma pessoa boa. Sem contar o fato da quantidade de pessoas que agem errado e vemos darem certo. Quantas pessoas que agem errado têm dinheiro, poder, status, fama. Contudo, o ponto número um é que não sabemos toda a história da pessoa e, segundo, não temos ideia do que o futuro dessa pessoa guarda para ela, então olhar esse tipo de coisa só faz com que não exercitemos a nossa espiritualidade.

Princípio 10

Seja generoso e mantenha sua conta com o Universo em dia

Já falamos sobre religião, espiritualidade e sermos pessoas melhores. Mas e se você ignora tudo isso? Vai ter algum efeito prático? Quer dizer, se você decidiu não seguir a espiritualidade, ou ser uma pessoa melhor, ou melhorar quem você é... enfim, você não seguiu nada disso, vai ter alguma punição? Talvez não. Mas será que não podemos tentar imaginar o mundo, o Universo, como uma conta onde tudo o que você faz de bom te deixa um saldo positivo?

Se você começar a pensar assim, não vale a pena passar a agir de uma certa forma para que o seu saldo fique positivo com o Universo? Muitas pessoas chamam esse processo de outras coisas, por exemplo, de "Lei da Atração". Tem gente que diz que existe essa lei, e que basta pensar positivo para que as coisas aconteçam; basta você fazer uma boa ação que automaticamente algo de positivo vai surgir na sua vida. Cara, é impossível afirmar uma coisa dessas. Existem até estudos da física a respeito disso, e ainda afirmam que as células atuam de forma diferente com a positividade e com outras coisas, mas eu ainda acredito que o homem vai precisar estudar muito mais sobre tudo isso.

De qualquer forma, fica interessante pensarmos em manter a conta-corrente com o Universo sempre positiva. Gosto muito da história de um rabino chamado Menachem Mendel Schneerson, que é o rabino mais conhecido da última geração. Conhecido como Rebe de Lubavitch, ele foi um sábio respeitado tanto por judeus quanto por não judeus; nascido em 1902 na Ucrânia, acabou crescendo na era comunista, já que eles acabaram dominando o país depois da Revolução de 1917, perseguindo todas as religiões, especialmente o judaísmo, proibindo cultos e executando seus membros. Em 1928, ele se mudou para Berlim, onde casou e estudou matemática, filosofia e física. Com a ascensão do nazismo, ele se mudou para Paris, onde se formou em engenharia mecânica e elétrica.

Então perceba que ele é um rabino, um dos rabinos mais conhecidos, se não o mais famoso do mundo, mas ele estudou várias áreas da ciência não correlatas à religião, nem à espiritualidade. Em 1941, o Rebe de Lubavitch conseguiu fugir antes que os nazistas tomassem a França e foi para Nova York, onde por décadas liderou a Comunidade Judaica local.

Agora o mais curioso nessa história do rabino é que ele ficava aos domingos durante horas distribuindo notas de um dólar para milhares de pessoas. Então, basicamente, nesse dia você ia lá na sinagoga, na qual se formava uma fila gigante, ele te dava uma bênção e uma nota de um dólar, uma bênção e uma nota de um dólar. Milhares de pessoas todos os domingos, e ele dava uma nota de um dólar para cada um. E sabe qual o intuito dessa ação? Basicamente a pessoa que saísse de lá com a nota de um dólar deveria doar essa nota para alguém que precisasse. Então o propósito dele, no mundo, era o seguinte: ele te dava a nota de um dólar e você dava essa nota para alguém, o que em resumo significa que quando duas pessoas se encontram, uma terceira deve se beneficiar. Se a gente sempre pensasse assim o mundo estaria melhor.

Portanto, ter a sua conta positiva com o mundo é pensar o seguinte: como você pode beneficiar o mundo direta e indiretamente baseado no que acabou de ler agora e no último princípio para que a sua conta no Universo esteja positiva? O que virá depois do mundo não sabemos, afinal cada religião tem um ponto de vista, mas, se você sair daqui com uma conta positiva, provavelmente já estará muito bem. E se o mundo for só isso aqui e formos enterrados e pronto, acabou, você perdeu alguma coisa sendo uma pessoa melhor? Qual foi o seu prejuízo?

O ponto interessante também é que o rabino dizia que ajudar as pessoas vale muito a pena, mesmo se você tiver que sair do seu caminho para isso. É um ato de bondade que merece nossa atenção e esforço. E aí você deve estar pensando: "Tá bom, mas eu não sou um rabino, não moro em Nova York, não sofri perseguição durante a minha vida inteira". Tudo bem, mas e quando você pede uma comida para o entregador de aplicativo, você desce antes de ele chegar para que o cara não fique esperando? Você dá uma gorjeta? Quando você pede um carro de aplicativo e sabe que o motorista está chegando, você já fica esperando na porta ou sacrifica o tempo do outro?

Fazer o bem e ter uma conta positiva com o Universo pode ser muito mais fácil do que você imagina. Pequenos atos nossos podem fazer diferença total no dia da outra pessoa, só que é algo ativo, você tem que pensar e fazer, pois não vai acontecer de repente.

Então, o que você tem que fazer agora é parar para pensar o seguinte, "poxa, no meu dia a dia, o que eu posso começar a mudar agora para que uma outra pessoa se beneficie?".

Quando buscamos ser uma pessoa melhor, temos sempre que ser cuidadosos, pois tudo deixa um rastro no mundo, tanto para pessoas que estão próximas da gente e que não são parentes, como no trabalho ou em nossa comunidade, como nossa família, que se estenderá aos filhos e netos.

Eu me recordo do meu avô em todas as vezes que saíamos para almoçar, jantar ou ir a algum lugar, ele dava um valor muito acima da média de qualquer gorjeta. Muito acima da média mesmo. Dava dinheiro para todo mundo. Isso me chamava muito a atenção e eu sou uma pessoa muito parecida, então até que ponto isso mexeu comigo? E se ele fosse uma pessoa avarenta? É por isso que temos que levar em consideração que ser uma pessoa boa e ajudar os outros, além de ter o efeito direto, de que você ajudou aquela pessoa, pode reverberar de uma forma que você nem imagina. Então o meu avô, talvez, fizesse aquele gesto para ajudar uma pessoa, mas indiretamente ajudou centenas de outras porque ele me deu um exemplo, e eu sigo o exemplo e agora faço o mesmo.

Agora imagina se meu avô tivesse me criado e um dia tivesse dito para mim com, sei lá, dez, doze ou quinze anos: "Nunca dê gorjeta para ninguém; as pessoas não merecem, e elas já ganham o salário delas". Se ele tivesse dito isso, talvez naquele momento da formação do meu caráter seria esse registro mestre que eu guardaria para a minha vida: "As pessoas têm o salário delas, elas ganham o que é justo e elas não merecem mais". Mas não, independentemente de quem fosse, ele estava sempre com uma nota de dinheiro, se era R$ 100 ele dava R$ 150, vinha o cara fazer não sei o que, ele dava dinheiro, vinha o cara carregar a mala, ele dava dinheiro. Eu o via fazendo isso, então, na minha cabeça é certo que a gente dê sempre um pouco mais de dinheiro (quem tem é claro).

Eu guardei esse hábito, mas poderia ser diferente. E se todo mundo agisse assim? "Ah, Charles, mas pode ser que a outra pessoa não mereça". Acontece que não estamos falando do outro, mas sim de nós mesmos. Essa é a grande questão, não é sobre o outro, é sobre mim. "Pô, Charles, mas se o cara pegar o dinheiro e utilizar para jogar ou para beber?" Simplesmente **a minha ação para no momento em que eu doei o dinheiro**, ou seja, se eu doei um dinheiro sem saber que ele vai utilizar para a bebida, eu não sou impactado pela má ação dele, porque a minha boa ação foi feita e acabou no momento da doação. Não use isso como desculpa para não ajudar as pessoas, do tipo, "eu não sei o que vão fazer com o dinheiro". Não cabe a você saber o que vão fazer com o dinheiro. Isso tem que fazer toda a diferença.

Para o judaísmo, existem algumas regras para você ajudar alguém, inclusive regras se você pode ou não comunicar que ajudou, então, por exemplo, ajudar alguém de forma anônima tem mais valor dentro do judaísmo, das nossas regras, do que ajudar alguém e espalhar para todo mundo. Mas mesmo que você espalhe para todo mundo, ajudar alguém é um feito e tanto, então não perde o seu valor. Além disso, no ato de ajudar alguém, a maior prioridade de todas é quem passa fome; qualquer outra ajuda pode ser discutida no momento que você sabe o que a pessoa vai fazer, mas quem tem fome tem que ser ajudado.

Princípio

11

Melhore um pouco todos os dias

Você deve estar imaginando: "Ok, melhore um pouco todos os dias, mas é para melhorar no quê? Você quer que eu leia livros, me alimente melhor, trate melhor o meu cônjuge, comece a caminhar todos os dias, faça um curso... eu vou ficar maluco! Você vai me deixar louco, Charles!". Pois saiba que não é isso que eu quero. Não quero que você melhore em todas as áreas porque você já deve ter entendido, ou pelo menos vai entender neste princípio (e se quiser se aprofundar mais neste tema, recomendo muito o livro *Essencialismo*, de Greg McKeown), que é necessário ter foco e fazer escolhas, **porque quem prioriza tudo não prioriza nada.**

Quando eu digo para melhorar um pouco todos os dias, você tem que saber o seguinte: "a minha prioridade, agora que eu estou com 150 quilos, é cuidar da minha saúde"; "a minha prioridade, já que eu cheguei aos 35 anos e não acabei o ensino médio, é finalizar o segundo grau". Ou seja, quem vai ditar a área da vida que você tem que melhorar é você mesmo, eu só estou aqui para te falar que cada dia parado é um dia a menos para você fazer isso, logo, você vai evoluir menos nas áreas que deseja. Então o que você tem que fazer agora? Definir, nos próximos meses, as áreas principais que irá se comprometer em melhorar. E em quantas áreas eu posso atuar ao mesmo tempo? Duas ou três no máximo.

É possível melhorar em todas as áreas simplesmente dividindo e evoluindo um pouquinho em cada coisa, mas você tem que ter um foco em dois ou três domínios que deseja, e nos próximos anos se desenvolver mais, seja sua saúde, sua formação técnica, seus relacionamentos, isso se você é uma pessoa com problemas de relacionamento... Primeiro, você vai ter que definir qual área irá escolher, pois não posso decidir por você. E se tem áreas que você já é bom, basta manter. Se você está em um peso bom, se alimenta bem, caminha todos os dias cinco quilômetros, legal! É isso! Mas quais são as outras áreas em que você também quer se desenvolver?

Posso falar por mim também, pois já cheguei a pesar quase 130 quilos. Passei por vários processos de emagrecimento em que eu emagrecia e engordava novamente, e sabe qual foi o erro que eu demorei a perceber? Eu queria tudo "para ontem". Então, até 2013, todas as vezes que consegui emagrecer foi utilizando medicamento e fazendo dietas muito rígidas, ou seja, coisas que era incapaz de manter no meu dia a dia.

Portanto, quando digo para melhorar um pouco todos os dias significa não ter pressa em relação ao processo, mas também fazer o seu melhor para finalizá-lo o mais rápido possível. Nesse meu processo de emagrecimento, depois de tentar várias vezes coisas loucas, eu consegui perder mais de trinta quilos em cerca de dois anos sem nenhum medicamento, apenas mudando hábitos, cortando alguns alimentos, fazendo pequenos exercícios diariamente. Dessa forma, eu não corria, não fazia nada de especial, simplesmente ia todos os dias para a academia e caminhava na esteira, afinal, uma pessoa de 130 quilos não pode sair correndo.

Por isso, estou aqui dando o meu exemplo, e olha que tentei várias vezes emagrecer de forma acelerada, mas só tive sucesso por pouco tempo e depois acabei falhando novamente. No momento que eu entendi que era um processo de evolução contínuo e que eu deveria mantê-lo, eu consegui. Porém, cuidado! Estou pedindo para que você melhore um pouco mais a cada dia, mas não estou falando para você encontrar um atalho nessas áreas da vida, porque é importante buscar uma forma de melhorar que você consiga manter.

A história de como eu consegui perder o peso é sobre a área que era a mais sensível da minha vida, e, olhando todas essas áreas que estudo, essa era a minha maior deficiência. É importante entender que, normalmente, vamos ter algum ponto um pouco mais fragilizado, inclusive algumas pessoas têm problemas sérios de compulsão alimentar e que, por exemplo, quando resolvem essa questão, acabam transferindo a compulsão para a via sexual ou financeira, porque tudo isso está ligado.

Dessa forma, a primeira coisa que você tem que fazer é se controlar, e se você não está conseguindo sozinho, busque ajuda. Eu, por exemplo, não consegui emagrecer sozinho, então o que tive de fazer? Busquei uma nutricionista, que me acompanha até hoje, há mais de dez anos, e por quê? Porque ela conhece o meu formato e entende, por exemplo, que gosto de vinho, logo, funciona para mim um plano alimentar que não tenha vinho? Não funciona. Mas para poder incluir o vinho é necessário tirar alguma outra coisa, dosar a quantidade que eu bebo... Desse modo, precisamos trabalhar dentro da nossa realidade, mas sem deixar de melhorar um pouquinho em cada área.

Outro ponto interessante: quando eu digo melhorar não é necessariamente apenas a saúde, ou família e relacionamentos. Existem diversos campos que você pode pensar em evoluir, por exemplo, suas certificações, estudos, *networking*. "Poxa, para mim o trabalho não é tão importante, a família é mais importante"; se você está pensando isso, então já sabe no que tem que melhorar. Entretanto, ao mesmo tempo, é possível que você coloque o seu trabalho como quinto, sexto, sétimo item na sua lista de prioridades e tenha um resultado extraordinário em seu trabalho e finanças? Não é possível. Portanto, cuidado, porque se você quer algo extraordinário em alguma área da vida, é necessário fazer um esforço extraordinário nessa determinada área.

"Poxa, Charles, eu quero ter uma boa carreira"; se estou falando para melhorar um pouco a cada dia, você tem que se organizar e fazer um planejamento. Agora, imagine que você é CLT e tem uma carreira dentro de um banco. O que você tem que fazer em seu planejamento? Quais são as certificações que os meus chefes têm? Quais são as dicas que eles podem dar? Você já almoçou com alguém que é superior a você para pedir informações? Você tem humildade suficiente a fim de buscar o que precisa para chegar aonde deseja?

Então, melhorar todos os dias significa que você terá que selecionar determinadas áreas e realmente evoluir nelas, senão só irá enganar a si mesmo, a sua família, os seus amigos e as pessoas com quem trabalha, e eles sabem quem você é. Como você não está enganando ninguém, é necessário evoluir um pouquinho mais a cada dia.

Admiro o Bernardinho, do vôlei, que tem uma frase muito interessante: "Vencer é consequência do preparo", e ainda continua, "a vontade de se preparar tem que ser muito maior do que a vontade de vencer. Vencer é uma consequência". Grandes atletas se preparam e têm paixão pelo processo. Eu tenho paixão pelo processo de tudo o que eu faço. Ou seja, melhorar um pouco todos os dias é entender a importância do processo de evolução e aprender a gostar deste.

Dentro disso também entram a motivação e disciplina. As pessoas, hoje em dia, falam muito em motivação, existem até eventos motivacionais e tudo é motivação, "acorde, tome um banho frio e você estará motivado", quando, na verdade, a motivação é um estado de espírito. Dessa forma, muitas vezes não precisa de motivação. Eu trabalho diversos dias sem motivação, por um único motivo: disciplina. É essa ferramenta que me fez perder trinta quilos, porque quando eu abria a geladeira e desejava alguma coisa, eu pensava: "Não, eu não posso", e isso é pura disciplina.

Você só vai conseguir evoluir diariamente nessas áreas se tiver disciplina, por isso, peço que pare a leitura deste livro e pegue um papel e caneta. Agora, escreva as áreas que você quer melhorar imediatamente. O que você vai fazer para isso acontecer ou a sua motivação não me importam, porque estou preocupado com a sua disciplina. Está fechado?

Você não precisa de motivação, e sim de disciplina. "Poxa, mas eu estou supermotivado lendo o livro", ótimo! Dessa forma você terá motivação e disciplina, melhor ainda! Entretanto, o que você necessita para melhorar todos os dias é disciplina, ou você acha que o cara que treina natação tem o prazer de, no inverno, pular de manhã na água gelada? Você acha que ele está motivado? Ele está odiando aquilo, mas ele faz mesmo assim porque tem disciplina. Ele ama o processo porque ele sabe que aquilo é importante. E é por isso que esse cara é um vencedor.

Então, é sobre essas áreas da vida que você vai parar agora e escrever.

Princípio 12

Seja seletivo com quem você anda

Mostre-me seus amigos que mostrarei o seu futuro.

Muito se fala sobre essa questão de que "você é a média das cinco pessoas com quem mais convive" e, por causa disso, acabou se tornando um clichê. Contudo, por mais que muitas pessoas sem sucesso repliquem essa ideia, ela não deixa de ser uma verdade. Quando você conversa com pessoas bem-sucedidas para conhecer um pouco mais do caminho da vida delas é quase uma unanimidade que, realmente, estar próximo dessas pessoas não garante o sucesso em si, mas ajuda muito. Existem motivos para isso e é o que vamos discutir neste princípio, além de mostrar por que hoje mesmo você pode mudar isso na sua vida.

No passado, como já mencionei neste livro, a vida era mais difícil, porque havia a barreira geográfica. Ainda existiam as distâncias físicas, e o mundo digital abriu um portal que mudou tudo. Mas o que quero dizer com isso? Basicamente que, se você nascesse na década de 1970 ou 1980, no interior de uma cidade brasileira onde não tivesse pessoas bem-sucedidas ao seu redor, provavelmente teria que sair dali para ascender em alguma área que tivesse interesse. Entretanto, após os anos 2000, o cenário mudou completamente, e onde quer que você esteja é possível conviver, nem que seja de maneira digital, com pessoas de outro nível. Mesmo assim, a questão geográfica ainda importa muito.

Para que você entenda melhor essa ideia, vou trazer alguns exemplos da minha vida e de pessoas próximas a mim. Quando eu estava saindo da adolescência, entrei na faculdade e comecei a trabalhar; tinha muitos amigos, com os quais jogava bola na praia, e nós saíamos sempre. Mas logo que comecei a trabalhar percebi que, mais no trabalho do que na faculdade, existia um mundo inteiro dentro da empresa que eu trabalhava, e as pessoas que me lideravam, ou que estavam próximas a mim, tinham muito a agregar à minha vida.

Então, já nos primeiros meses, acabei me afastando dos meus amigos um pouco, e por quê? Porque para mim fazia mais sentido, em um sábado, estar trabalhando, participando de uma reunião, indo a um evento da empresa, estudando um pouco mais... Fazia mais sentido aquilo do que estar próximo de pessoas que não tinham os mesmos ideais e objetivos. Não era fácil. Eu me lembro de quando passava na Via Litorânea do Rio de Janeiro indo trabalhar, sábado às oito da manhã, e via alguns amigos indo para a praia carregando uma bola de futebol ou uma prancha de surf. Pode parecer fácil falar agora que as coisas deram certo para mim, mas eu sei o preço que paguei, eu sei o que abandonei para poder chegar aqui.

Portanto, ao tomar essa atitude, seja com a idade que for, pode ser na adolescência, ou no final dela, ou mesmo na vida adulta, algo vai acontecer com você. O que vi acontecer com muitos foi: você não precisa abandonar aquelas pessoas que não te agregam nada. Na verdade, você será expurgado desses grupos. Isso aconteceu comigo e com diversas pessoas que já conheci. Volto a falar: o que você está lendo neste livro é fruto de 25 anos de trabalho, estudo, e muita experiência profissional e pessoal.

Sendo mais específico sobre essa questão de ser expurgado, imagine que você more em São Paulo, comece a trabalhar e a investir, porém, o seu grupo mais próximo de amigos, todos os sábados, se reúne para fazer um churrasco e assistir futebol, por exemplo. É natural e estou afirmando que isso vai acontecer, quando você começar a investir em ações, fundos imobiliários e tudo mais, no primeiro churrasco vai querer falar sobre o assunto. E o que vai acontecer em seguida? Você verá que esse não é um tema que essas pessoas querem conversar, e não porque elas não gostam de dinheiro ou não querem melhorar de vida, mas porque elas não entendem o que você está falando, então isso passa a ser uma coisa muito distante da realidade delas. Você passa a ser o cara chato do grupo.

Nesse momento irão acontecer duas coisas: primeiro, você ficará chateado porque começou um assunto que ninguém deu continuidade e, em seguida, assim que você virar de costas, seus amigos todos falarão: "Como fulano mudou, está muito chato, só quer falar de dinheiro, só quer falar de investimento, até parece que ele ganha tanto dinheiro por aí". Essas duas situações vão caminhar juntas e você será expurgado desse grupo. Por outro lado, e esse é por sinal um lado bom de tudo isso, se você começar a estudar, trabalhar e procurar locais digitais ou físicos onde as pessoas estão buscando o crescimento por meio do conhecimento dos mesmos temas, você fará novas amizades que possuem os mesmos objetivos – prosperar, aprender, mudar de emprego, abrir o próprio negócio.

Este Princípio 12 pode causar desconforto, assim como causou em mim. Até hoje considero alguns amigos da minha adolescência, falo com eles, independentemente da distância, mas a convivência diária para mim e, principalmente, para eles não é mais tão interessante, pois os assuntos já não são mais os mesmos. Gosto de futebol, mas, em alguns encontros presenciais, como em um almoço e tal, entre falar de negócios e de futebol, prefiro muito mais falar de negócios.

Agora o interessante é como as pessoas parecem ficar estáticas. Nós estamos em um processo evolutivo, e se nos dedicamos muito, trabalhamos e estudamos, nós mudamos efetivamente. Mas ainda há muitas pessoas que insistem em ter exatamente aquele pensamento de quinze, vinte, trinta anos atrás. A pessoa ainda corre o risco de se tornar desinteressante, por que como é que você vai conversar com alguém que tem uma limitação de conteúdo? Aí você pode me perguntar: "Tá, eu entendi, agora preciso tomar cuidado com as minhas amizades; daqui para a frente vou resolver isso... Que bom, encerramos esse tópico por aqui, né, Charles?", e eu já vou te dizer que não, não acabamos. Na realidade, estamos apenas começando.

O mais fácil é resolver a questão das amizades, porque você consegue perder contato facilmente com a maior parte dos seus amigos, e no fim ficarão apenas aqueles mais próximos. Você também consegue fazer novas amizades muito facilmente, seja no MBA, seja em um encontro, e, por exemplo, se você quer novas amizades no mundo dos investimentos, vá a encontros e feiras de investimentos. Ou seja, você não precisa de um milagre nem de nenhum grande esforço.

Agora é aqui que vem a parte difícil que pouca gente fala, porque elas focam no "clichezinho" dos cinco amigos e esquecem de dois pontos importantes: família e cônjuge. Aqui estão as armadilhas, ou a mola que pode te jogar para o alto. As pessoas só costumam falar dos amigos, mas você volta todo dia para dormir na sua casa, com a sua esposa ou com seu marido, e não com o seu amigo!

Então, a começar pela família, enxergamos o mundo sob diversos aspectos de consciência, de experiência... Entretanto, carregamos muitos aprendizados que a nossa família nos passou, principalmente em relação a dinheiro. Frases do tipo "dinheiro é sujo", "todo mundo que é rico é porque aprontou alguma coisa", "é difícil ganhar dinheiro", "na volta a gente compra", são apenas algumas que fizeram parte da nossa criação, e, dessa forma, cada um vai replicando esse modelo em sua vida. Nossos pais e avós sempre agiram de uma forma que muitas vezes não sabiam nem nos explicar o porquê, mas os pais deles agiam assim, porém cabe a nós, aqui, com consciência, mudarmos essa linha sucessória de decisões.

Livrar-se dos amigos e de grupos é muito simples, mas como fazer isso em relação a família e cônjuges? Bom, com relação à família é importante entender que você não precisa da bênção dela para nada, não precisa de autorizações, nem de aprovações, e não deve levar todas as críticas em consideração. A família está aqui para você amar e ser amado, e se você parar alguns planos e projetos por causa das opiniões de sua família, não a culpe, pois o merda é você mesmo.

Para você entender melhor, vou trazer novamente o meu exemplo. O meu pai abandonou minha mãe quando eu ainda era pequeno, por isso não o conheci, e a minha mãe me criou. Até o presente momento em que estou escrevendo este livro, ela nunca escutou um podcast ou viu algum vídeo meu, isso porque, todas as vezes que mandei, minha mãe falou que o link não tinha chegado ou que não abria... Porém, curiosamente, ela já me mandou diversos vídeos de outras pessoas, mas o meu ela nunca viu. Dito isso, alguma vez vocês já me viram reclamando algo como: "Parei de gravar vídeo no YouTube porque a mamãe não está vendo"?

Não é possível que uma pessoa de 20, 25, 30 anos pare ou deixe de fazer algo porque os pais, avós, tios, primos, criticam ou não apoiam. Mesmo que sem nenhuma crítica pesada, já vi pessoas desistirem dos seus projetos porque os pais não apoiavam. Por isso foda-se se os seus pais não te apoiam, foda-se se o seu tio critica o seu aprendizado sobre investimentos, não ligue se os seus primos tornaram a sua presença motivos de risada no churrasco da família porque você vem falando que quer ter um carro que ninguém nunca teve, que deseja viajar para um país que ninguém da sua família visitou. Ignore isso.

Agora, por acaso estou pedindo para você que "não ame a sua família e não ande com eles"? Jamais! O que eu estou falando é justamente o contrário. Você vai segregar essas áreas, irá abraçar sua mãe, seu pai, beijar todo mundo e ficar feliz. Se eles não se interessam pelos seus projetos, pelos seus trabalhos, pela sua vida financeira, ótimo, que bom, porque isso diz respeito só a você no final das contas. Estou careca de ver pessoas com quarenta anos ainda culpando os pais por alguma coisa na vida delas. Penso que isso seja uma desculpa porque elas não querem encarar a própria responsabilidade.

Diante disso, o que você tem que fazer é segregar esses dois aspectos, a parte de afeição pessoal com a parte profissional, financeira e de prosperidade. O quanto antes você separar ambas, melhor. O importante é que você faça. Com amigos nós fazemos isso de uma forma, cuidando, tendo o mesmo carinho, mas se separando. Com os familiares é diferente, pois não recomendo que ninguém se separe da família, a não ser que seja algo muito destrutivo, mas fora isso, se você souber colocar cada coisa em seu lugar, vai se dar bem.

Até aqui tudo muito bem, mas daí vem a parte que eu considero a mais difícil: o cônjuge. Eis o ponto que, com a experiência de vida que eu tive e com a conversa que tenho com muitas pessoas e seguidores, talvez seja, dentro de uma equação matemática do sucesso, uma das variáveis mais importantes, se não a mais importante delas.

Com quem você irá passar a sua vida? Quem será a pessoa com a qual irá passar todos os dias da sua vida? É impossível não achar que isso fará toda a diferença.

É assim que saímos do clichê das "cinco pessoas que sentam na sua mesa" para dividir as pessoas em três tipos de relações: amizade, família e relacionamento amoroso. E isso é importante porque ninguém tem olhado para a esfera da família e do cônjuge, todos focam apenas "com quem você está andando"; mas aí a pessoa chega em casa e tem uma puta família tóxica, ou a pessoa resolve casar para sair de casa e acaba se relacionando com alguém completamente fora da casinha.

Vamos imaginar que você vai ficar casado, se Deus quiser, por quarenta, cinquenta, sessenta anos com a mesma pessoa, ou seja, o impacto do seu relacionamento e da sua convivência vão pesar muito. Não vou entrar aqui na parte específica do relacionamento, não é a minha área de atuação. Por isso, vou tratar sobre o seguinte: quais são os impactos de você estar com uma pessoa, que quando você compra um livro, te pergunta: "Esse livro vai te deixar rico? Será que não era melhor gastarmos isso em um lanche?". Quais os impactos de você estar com um marido que quando você pensa em entrar em um curso de investimentos ou ir a um seminário gratuito no final de semana, reclama que você poderia estar lavando louça ou a roupa suja?

Quais os impactos de um relacionamento bosta a curto, médio e longo prazo? É devastador. Isso porque estamos falando de coisas simples, mas ainda há questões muito mais complexas, por exemplo, qual a importância disso e o quanto você acha que isso pode impactar sua vida. Se você ficar com uma pessoa que, durante dois ou três anos iniciais em um novo trabalho, vai te apoiar no esforço a mais que você vai fazer (e deveria fazer já que você está em uma nova empresa), o quanto isso vai impactar sua vida?

Por exemplo, sempre fui uma pessoa que trabalhou muito, inclusive finais de semanas, e já tive relacionamentos em que a pessoa me atrapalhava, cobrava a minha presença e enchia o meu saco, criticando o fato de eu não estar à disposição para praia, cinemas e programas de fins de semanas comuns de qualquer casal; e outros em que a pessoa me ajudava, impulsionava e tocava a vida dela, inclusive fazendo um mestrado, enquanto eu trabalhava nos fins de semana. Percebem a diferença? Ela entendia que isso era importante para mim e passou a ocupar o tempo dela enquanto eu trabalhava. Curiosamente, poucos anos depois, esse mestrado que ela fez, enquanto eu estava trabalhando, possibilitou-lhe ter um emprego com ganhos muito elevados.

Então, olha que louco e interessante, ao buscar ocupar o tempo dela, enquanto eu ocupava o meu, de forma construtiva, sem saber, ela garantiu o próprio futuro tentando garantir o meu. Agora, vamos imaginar um cenário em que ela ficasse buzinando no meu ouvido: "Charles, você precisa trabalhar no domingo? Mas é domingo de Natal. O seu chefe já é rico, deixa de ser otário". Se ela ficasse toda hora me azucrinando, será que eu teria crescido na empresa ou será que nenhum dos dois teria crescido? Provavelmente, eu teria abandonado o local em que me tornei superintendente justamente por trabalhar mais do que os outros e, depois, ela não teria arrumado um baita emprego porque era necessário ter mestrado para ter aquele cargo. Eu a apoiei, ela me apoiou e os dois cresceram. É muito fácil imaginar que esse cenário poderia ser totalmente diferente, poderíamos ter ficado dois ou três anos na praia no início do nosso relacionamento e, depois, se lamentando que a vida é injusta, que meritocracia não existe e que todo mundo que arruma um bom trabalho é porque tem um conhecido na empresa.

Esse é apenas um exemplo, mas nós podemos pensar em vários outros. Tanto homens quanto mulheres que se casam e apenas gastam o próprio dinheiro, não apoiam um ao outro, e, pior, ainda debocham quando a pessoa quer evoluir; isso é algo brutal, na realidade, o nível máximo de destruição dentro de um relacionamento.

Imagine que você é uma pessoa que pensa durante semanas que deseja estudar algo novo, mas quando comunica isso ao parceiro, ele ou ela ri e fala que você está ficando velho para aprender aquilo. Já é difícil seguirmos com a nossa vida sem ninguém criticando, mas com críticas, ainda mais de pessoas próximas a nós, fica muito pior. Diferentemente dos seus amigos, você não pode encontrar o seu cônjuge na hora que quiser; você tem que encontrá-lo todos os dias, então se você estiver com uma pessoa negativa, que te puxa para baixo diariamente, não adianta de nada ler o meu livro. Isso porque não ocorrerá mudança alguma em sua vida se você pensar em todos estes princípios, passar horas se dedicando a esta leitura e, depois que fechar o livro, passar mais cinquenta anos ao lado de uma pessoa que fala e age de uma maneira completamente diferente.

Apresentado todo esse cenário, restam então duas saídas: o diálogo, por meio do qual vocês vão acertar isso e ter um plano comum; ou, infelizmente, o que acontece com muitos casais e faz parte da vida, a separação. Mas a vida não acaba nisso, às vezes, pelo contrário, ela começa nesse momento.

Você pode até estar pensando: "Ah, Charlão, mas eu não namoro ainda, não sou casado". Ótimo! Que bom, pois isso significa que você tem uma página em branco, e é muito mais fácil para você que está lendo isso antes de entrar em um relacionamento do que depois. Você terá sinais ao longo do relacionamento se está se envolvendo com alguém que debocha e diminui os seus sonhos, e, se essa pessoa é alguém que não te apoia; você tem que pensar bem a respeito do futuro dessa relação, porque garanto que, tudo, para o bem ou para o mal, vai se amplificar depois de casado. Dessa maneira, algo que começa pequeno, que é uma pedrinha no teu sapato, se você não tirar, irá te incomodar para o resto da vida.

Por fim, mas não menos importante, vejamos especificamente a questão sobre valores e dinheiro. Tenho visto muitos casais que se afundam, que dão passos maiores que as próprias pernas, e um erro muito comum é a antecipação de sonhos. Então, você quer investir, deseja ter uma renda extra e está pensando no futuro, mas se casou com um homem ou com uma mulher que quer antecipar os sonhos. Antecipar os sonhos ocorre quando você tem um carro bacana, recebe um aumento, e seu marido ou sua esposa fala: "Poxa, será que a gente não merecia outro carro? Será que a gente não merecia isso?", e então vocês vão gastando, sempre antecipando tudo, como já falamos anteriormente. Você vai antecipando tudo o que deseja e entra na corrida dos ratos, e nunca consegue sair disso.

Por isso, tome cuidado para não se envolver com alguém ou passar anos ao lado de alguém que faz com que você leve uma vida que apenas parece próspera, porque você até pode possuir tudo o que tem, mas, nessa situação, sempre estará com a corda no pescoço, e ninguém com a corda no pescoço se sente verdadeiramente bem. Se você estiver vivendo um nível abaixo do que poderia, pode viver feliz porque estará sempre tranquilo.

Agora que você já entendeu a questão proposta neste princípio em relação ao quão danoso pode ser se aproximar de pessoas erradas ou continuar próximo dessas pessoas, quero te tranquilizar. Você tem todo o tempo do mundo, por isso, pode ir fazendo essas mudanças aos poucos. Não estou falando aqui para cortar relações com o seu melhor amigo de infância, que você encontra uma vez por mês em um churrasco, e parar de falar com ele só porque ele não se interessa pelos mesmos assuntos, não é isso. O que eu estou falando é: divida o seu tempo para que, na maior parte dele, você foque o que deseja para o seu futuro. E a mesma recomendação serve para a família e o cônjuge.

Princípio 13

Entenda de uma vez por todas
que o dinheiro é seu amigo

Conforme falamos no último princípio, muitas vezes nós carregamos crenças, valores, informações que não são verídicos ou que adquirimos com a família, amigos e cônjuges a respeito do dinheiro. A crença mais comum é que dinheiro é sujo. Muitas pessoas também têm dificuldades por causa disso. Elas criaram essa crença, portanto, poucas pessoas entendem que o dinheiro é seu amigo, que ele está aqui para te ajudar e que o mundo é abundante em riquezas.

Parece meio louco falar isso em um mundo onde tem tantas pessoas passando necessidade, mas nós precisamos tentar encarar o globo como uma grande mesa em que acontece um banquete, no qual existe dinheiro "parado" e basta você entender o caminho para chegar até essa mesa e meter a mão no que quiser de comida e dinheiro. Depende da forma como você vai agir.

Agora, o que que eu quero dizer com "o dinheiro é seu amigo"? Vou dar um exemplo prático: vamos imaginar juros compostos em relação ao dinheiro, você pode dever dinheiro, por exemplo, no cartão de crédito ou no cheque especial, pagando juros de 100, 200, 300%, como é clássico aqui no Brasil; ou você pode aprender a poupar, a investir e a ganhar esse dinheiro, não na mesma proporção, porque os investimentos pagam menos do que as dívidas, mas você pode ganhar esses juros a seu favor. Portanto, ao entender que o dinheiro é seu amigo, se ele está faltando agora, daqui a pouco ele vai estar em abundância, e, ao entender essa lógica, você remove um enorme bloqueio.

Na minha vida, além da experiência familiar por meio das conversas com meu avô, teve algo que me impactou muito, que foi a leitura do livro *Pai Rico Pai Pobre*, mas por quê? Porque neste livro o autor retrata a diferença entre o contato dele com o próprio pai, que era um professor rancoroso com uma dificuldade muito grande de lidar com dinheiro, mesmo tendo uma vida teoricamente estável, e o contato com o pai de um amigo dele, que era um empreendedor em série e que não tinha problemas com dinheiro porque tratava o dinheiro como amigo.

Eu tive esse contato duplo com meu avô, que me ensinou isso, e com o livro *Pai Rico Pai Pobre*, sendo, talvez, o impacto do livro tão grande quanto o da minha família, o que também me ajuda a te provar que a barreira geográfica, hoje, não é mais um problema como já disse anteriormente. Ou seja, independentemente da cidade em que estiver lendo o meu livro, você também pode adquirir o livro de Robert T. Kiyosaki e tê-lo como seu mentor, mesmo que ele não saiba, como também já falei em princípios anteriores.

Ao entender essa dinâmica do dinheiro, que, dependendo de como você o trata, ele te retribui ou não, com certeza você vai mudar a sua vida. Por isso, recomendo demais essa leitura, que diversas vezes o autor vai falar sobre essa questão do tratamento duplo, como cada um dos dois pais dele tratava o próprio dinheiro. Não é à toa que o nome do livro é *Pai Rico Pai Pobre*, isso porque ele considera dois pais, um rico e um pobre, e, dessa forma, o autor estabelece essa diferença nos negócios.

Dando continuidade, é importante lembrarmos a diferença entre poupar e investir, porque, aqui no Brasil, fala-se muito em poupar, tanto que o investimento mais conhecido é a poupança. Nós nos preocupamos muito em poupar, que é o "guardar dinheiro". E onde esse dinheiro vai ficar? Nunca fez muita diferença, não é um problema, o dinheiro pode estar na gaveta ou, até mesmo, dentro do colchão; tem até uma novela clássica, *Amor com Amor Se Paga* (1984), em que o personagem, que era o Seu Nonô Correia, escondia o dinheiro dele em uma parede secreta. Eu me lembro perfeitamente porque a minha mãe me chamava de Seu Nonô: o personagem da novela da década de 1980 era um pão duro que escondia o dinheiro em uma parede falsa. Dessa forma, fomos criados com essa cultura de poupar, mas pouco se falava em investir, no máximo em um terreno; todo mundo tem um tio que fala "quem compra terra não erra", no máximo isso.

No entanto, nós precisamos virar essa chave, passar de poupar para investir. Óbvio que poupar é muito melhor do que ter dívidas, que fique claro aqui, em nenhum momento eu estou reclamando se você estiver poupando, não quero que você pegue o livro e pense: "O Charles criticou o ato de poupar, eu vou então pegar e gastar todo o dinheiro que está na minha gaveta", porque não é isso que eu estou falando. O que estou dizendo é que, se fôssemos colocar em uma escala, o pior cenário é a dívida, o cenário regular é o poupar e o cenário bom é o investir.

Você já tem todas as ferramentas necessárias para aprender a investir, e quando eu digo todas as ferramentas eu só penso em uma: o cérebro. Você tem um cérebro, sim ou não? Se a resposta for sim, você está apto a investir. O que você está esperando? Seja por meio deste livro, seja *Pai Rico Pai Pobre*, outros livros, outros cursos... então, se o dinheiro é seu amigo, corra, abrace-o e extraia o máximo que você puder.

Aqui tem um ponto muito importante, a partir do momento que você entendeu, com as minhas palavras, que o dinheiro é seu amigo, o melhor conselho que eu posso te dar nesse aspecto é: faça do dinheiro seu amigo de infância. O que eu estou querendo dizer com isso? Quanto antes você entender que o dinheiro é seu amigo e modificar o seu tratamento com ele, melhor vai ser para você. Então vamos exemplificar, imagine um jovem de vinte anos, que sai das dívidas, começa a poupar e depois começa a investir, tem tudo para chegar no momento da aposentadoria com recursos suficientes para tal. E não é só isso, pois no início da vida todos nós – eu mesmo inclusive – erramos em relação ao dinheiro, tratamos mal esse amigo, isso quando não o tratamos como inimigo, e o que quero dizer em tratar como inimigo? É ter dívidas no cartão, nome sujo... quanto antes você resolver isso e tornar o dinheiro seu amigo de infância, melhor.

Existe uma estatística no mundo que ultrapassa os 30% de ganhadores da loteria que perdem o dinheiro. Antes que você os critique e fique rindo, eu imagino que se eu estivesse ao seu lado, você me falaria: "Poxa, Charles, devem ser pessoas muito estúpidas, né?". Mas não, são pessoas normais como eu e você, só que elas ganharam um valor muito grande de dinheiro e não aprenderam a tratar o dinheiro como amigo.

Eu volto a falar, ao tratar o dinheiro como seu amigo de infância e aprender a investir, você estará preparado para qualquer ganho, seja dez mil, cem mil, um milhão ou dez milhões. O problema está relacionado com quem ganha uma bolada muito grande na loteria, ou esportistas, por exemplo, como boxeadoras ou jogadores de futebol brasileiro, afinal, por que essas pessoas perdem tanto dinheiro? Até mesmo ganhadores de *reality show* também perdem muito. Isso acontece porque eles não sabem lidar com o dinheiro, então ele escorre pelas mãos. Imagine uma pessoa que ganha um milhão de reais, por mais que pareça muito dinheiro, ela compra um imóvel para si mesma, um imóvel para a família, dois carros e, ainda, empresta o resto do dinheiro para os amigos, dessa forma, rapidamente ela olha para o lado e não tem mais nem os amigos, nem dinheiro, nem a família por perto. Isso é muito comum.

Então, qual o antídoto para isso? Aprender a lidar com o dinheiro, tratá-lo como seu melhor amigo, como amigo de infância, mantendo-o próximo de você. E aí, aprendendo a lidar com R$ 5 mil, você terá muito mais facilidade para lidar com R$ 50 mil ou com R$ 5 milhões. Cerca de um terço dos ganhadores da loteria vão a falência apenas alguns anos depois, segundo pesquisa realizada nos Estados Unidos.

Uma vez que você entendeu que o dinheiro deve ser seu amigo, vamos para a parte prática. Quem acompanha meu conteúdo na internet por meio dos vídeos, palestras e lives que faço, sabe que tenho por hábito insistir para que as pessoas comecem a investir mesmo com pouco dinheiro. Quando eu digo pouco é algo em torno de R$ 20, R$ 40 ou R$ 50. Agora vou te contar neste livro algo que pouco falo por aí: o porquê eu faço isso dessa forma. Você já sabe que é necessário começar a investir de qualquer forma, mas, no íntimo, é justamente para sanar o que venho falando neste capítulo, ou seja, quando insisto para você começar a investir com pouco dinheiro seja do jeito que for, é como se eu tivesse ao seu lado te apresentando o dinheiro como um amigo e então você vai aprender a lidar com ele o quanto antes.

Se eu pudesse te dar apenas um conselho dentro deste princípio seria: identifique o estágio em que você está. Em qual dos três estágios você se encontra? 1) Dívidas e problemas financeiros? 2) Você já poupa? 3) Você já investe? Em qual desses estágios você está? É importante identificar a sua situação para que tomemos medidas necessárias, caso seja do seu interesse mudar e melhorar a sua vida.

Se você está com problemas financeiros e dívidas, sugiro que você pague tudo, não pense em nada além disso nesse primeiro momento. Agora não é o momento para poupar e investir. Até acho interessante que você comece a estudar sobre o tema, porque, às vezes, R$ 20, R$ 30 não vão fazer diferença, você pode investir para começar, para se sentir bem, como se você estivesse dando um passo à frente, mas é importante que você tape esse ralo. "Mas como?", daí você me pergunta, e eu vou te responder que o caminho será reduzir despesas e renegociar dívidas. É muito importante que você pare, porque nunca conheci alguém que resolveu os problemas financeiros continuando sem resolver dívidas passadas, porque, sem fazer isso, você continua endividado, e vive pagando juros um dia após o outro.

Por isso, você vai parar um dia, sentar-se, organizar, planilhar, renegociar e então zerar a sua vida, começar de novo. Todos que apenas tentam resolver os problemas continuando endividados e deixando essa roda girar não saem disso, tanto que conheço pessoas que há vinte, trinta anos têm os mesmos problemas financeiros e nunca arranjam tempo ou condições de parar para resolver. Curiosamente, essas pessoas nunca resolvem, e por quê? Parece meio óbvio, mas se você não tem tempo ou condições de parar para resolver algo, como é que essa questão terá uma solução?

Neste ponto, volto a insistir: quem não consegue viver, poupar e investir com R$ 5 mil, não o fará com R$ 5 milhões. Se você não entender isso, você vai acabar ganhando na Mega Sena ou em algum *reality show*, ou até mesmo se tornando um esportista famoso, mas vai acabar sem dinheiro ao final da vida. Então, se estiver com problemas financeiros ou endividado, aconselho a finalizar o livro, em seguida parar em todas as áreas de sua vida e fazer um novo planejamento, afinal, conteúdo online é o que não falta para quem tem esse problema, certo?

Agora, temos um segundo ponto, caso você já esteja na fase da poupança, eu tenho duas coisas para te falar. Primeiro, parabéns! Você já está à frente da maior parte dos brasileiros, quem sabe até mesmo da população mundial. Você está poupando. Então, minha primeira fala para você é parabéns; e a segunda, na realidade, é uma cobrança, afinal, por que você parou por aí? Por que você chegou até uma fase em que poucas pessoas chegam e não pensou em ir além? Por que você tem algo na mão que é tão difícil de ter, que é o dinheiro, e não faz nada para multiplicá-lo? Dinheiro parado também dá mofo.

Então, sugiro que você aprenda a investir imediatamente, porque o insumo principal do seu sucesso financeiro é o dinheiro, e este você já tem. Por que você não está melhorando a sua vida? Por que você não está colocando o dinheiro para trabalhar para você? Qual o sentido disso? Já parou para pensar que o dinheiro que você tem parado, se bem investido no curto, médio e longo prazo, pode te trazer, por exemplo, um salário-mínimo mensal e rendimentos? E que um salário-mínimo, para muitas pessoas, significa estar acordada às seis horas da manhã, pegar um ônibus por duas horas, entrar no trabalho, não se alimentar direito, aturar um chefe que ninguém gosta, pegar mais uma condução para voltar do trabalho por duas horas, chegar em casa e fazer todas as tarefas domésticas e só ter o tempo para dormir até que esse ciclo comece novamente? Muitas pessoas acabam com as suas vidas para ganhar um salário-mínimo e é tão possível fazer isso com o dinheiro trabalhando para você, chega a ser difícil de entender por que ninguém para e aprende.

Mas volto a falar, você tem o mais difícil de tudo que é já ter o dinheiro e, a princípio, me parece que também tem um cérebro. Logo, já é possível aprender a investir. O que falta? Uma coisa só na equação: vontade.

O terceiro e último estágio, que também é o melhor, é o estágio em que você já não tem dívidas e problemas financeiros, conseguiu poupar e já aprendeu a investir, independentemente se você é um investidor iniciante, intermediário ou avançado. Você deve estar pensando: "Poxa, o Charlão vai me dar parabéns agora!". Então, eu até poderia te dar parabéns, só que isso apenas massagearia o seu ego, e não estou aqui para amaciar ninguém. Estou aqui para te levar além de onde você chegaria sozinho, assim como fizeram comigo durante esse processo. Então, tenho alguns conselhos para te dar se você já investe.

Primeiro, cuidado com o excesso de autoconfiança. Respeite o seu tempo, ou seja, se você é um investidor que está há dois anos no mercado, está ganhando muito dinheiro e acha que a sua vida financeira será assim, sem conhecer o seu caso já posso te falar que provavelmente você pegou simplesmente uma maré alta, um mercado subindo forte. É muito comum que comecemos perdendo dinheiro, então sabe qual o tempo que essa sua jornada como investidor vai levar? A vida inteira, porque é um constante aprendizado. O mais difícil você já fez, e até posso repensar em te dar os parabéns que não dei, por isso farei isso agora, mas é um parabéns que vou falar baixinho, porque não quero que isso suba para a sua cabeça e que você perca o seu dinheiro em golpes, em investimentos que, nitidamente, não eram interessantes, mas que pareciam muito bons. Então, comece a investir, aumente o seu conhecimento, entenda que isso é para a vida inteira, foque o seu investimento em ativos que te gerem uma renda, como você poderá ver e aprender com o livro *Pai Rico Pai Pobre*.

Agora, nunca abaixe a guarda. Investir também se trata de estar alerta, porque ganhar dinheiro é difícil, agora, perder dinheiro em investimentos é muito fácil, em questão de minutos você pode perder uma vida inteira de sacrifícios. Então, os meus parabéns saem muito comedidos.

Princípio

14

Sempre use o tempo
a seu favor

Com todas as injustiças da vida, você se tornou um adulto e já deveria ter se acostumado com o fato de que a vida não é justa mesmo, mas se tem algo que praticamente todo mundo recebe na mesma medida e que, curiosamente, é a parte mais importante de tudo, esse é o tempo.

Nós poderíamos passar o livro inteiro discutindo a questão do tempo, afinal de contas, o que é mais importante, se tempo é dinheiro, tempo é conhecimento, tempo é saúde? Seria um prazer ficar aqui discutindo isso com você, mas a minha conclusão, e da maior parte das pessoas, é que o tempo consiste no que temos de mais valioso, e por quê? Porque ele é finito. Então, praticamente todo mundo vem para a Terra com uma ampulheta que está escorrendo areia numa contagem regressiva de 36.500 dias.

O que seriam esses 36 mil e 500 dias? Um ano tem 365 dias, você, provavelmente, vai viver cem anos, então, quando o médico te deu um tapa na bunda e você começou a chorar, no primeiro minuto de vida que você já começou a reclamar, o seu cronômetro também começou a girar: 36.500, 36.499, 36.498, 36.497... e assim por diante.

Portanto, todos os dias, independentemente do que você faça, você perde um dia. Isso não vai mudar, funciona assim para mim, para você, para o Bill Gates, para o cara que está no presídio... para todo mundo vai ser exatamente igual. "Poxa, Charles, mas eu conheço uma pessoa que tem uma doença que ela vive menos", tudo bem, você está pegando uma exceção, mas estou falando que, de um modo geral, nós temos esses 36.500 dias.

Cada dia que não usamos a nosso favor, é algo que estamos desperdiçando e que não volta. Quantas vezes, na mesma vida, a pessoa ganha e perde dinheiro, ganha e perde alguma outra coisa, emagrece e engorda? Ela pode ir mudando várias coisas, mas a única que não muda é que todo dia você tem um dia a menos. Logo, se não utilizar esse dia a seu favor, você prejudicará todo o resto da sua vida e só nesse fato de ficar desperdiçando os dias terá gastado um tempo valioso para nada. Quantas pessoas passam cinco, dez, quinze, vinte anos vivendo uma vida medíocre, desperdiçando o tempo que não voltará e sabendo que, muitas vezes, da metade da vida para a frente, algumas capacidades nossas diminuem por questões de saúde, velocidade, capacidade cognitiva...

Dessa forma, o primeiro ponto que você tem de entender neste princípio é que deve usar o tempo que lhe foi dado da melhor forma possível e o quanto antes, porque enquanto você está lendo este livro, também dedicou algumas horas, mas pelo menos espero que tenham sido produtivas. Esse é o primeiro ponto dos 36.500 dias. É como se fosse um cronômetro que está rodando, você querendo ou não.

Caso você já tenha passado dos trinta anos, neste momento você pode estar pensando: "Poxa, Charles, mas eu já gastei muito desse reservatório dos 36.500 dias de forma não produtiva e agora estou em uma situação desfavorável em relação a quem ainda tem muito tempo e já tem mais conhecimento do que eu"; em parte isso é verdade, e eu não vou passar a mão na sua cabeça. Se você gastou seu tempo até os trinta, quarenta, cinquenta anos, quiçá sessenta, realmente você não pode voltar no tempo, mas podemos tratar disso mais para a frente. Contudo, algumas pessoas já provaram que, ao entender que você fez pouco até aqui, é possível ter aprendido que daqui em diante terá que acelerar mais do que os outros.

Existem inúmeros *cases* de sucesso, eu mesmo já me deparei nessa vida com pessoas de cinquenta, sessenta, setenta anos bem-sucedidas e que começaram "tarde". Um exemplo é o próprio Henri Nestlé, que inventou a farinha láctea aos 52 anos, criando uma empresa de sucesso que com certeza você conhece. Outro caso muito conhecido é o do inventor da Coca-Cola, um farmacêutico, que descobriu o produto originalmente como medicamento para dores no estômago aos 55 anos. Há também o criador da rede de lanchonete KFC, que só alcançou o sucesso com a sua rede de restaurantes aos 65 anos, ou seja, 25 anos após inaugurar o 1º KFC. O dono dessa famosa rede de fast-food, o Coronel Sanders, só vendeu a sua primeira franquia aos 62 anos. Para finalizar essa lista, outro caso superfamoso é o de Ray Kroc, muito bem relatado no filme *Fome de Poder*. Ele iniciou o modelo da rede de fast-food aos 52 anos.

Portanto, se você tem mais de trinta, quarenta, cinquenta anos, não espere que eu vá me sensibilizar com qualquer preocupação que você possa ter em relação à sua idade. O que interessa é o que você vai fazer de agora em diante, não o que você fez no passado, porque, como afirmei no início deste princípio, tudo pode ser resolvido, menos o tempo que passou, pois esse não volta. Então, se você não mudar a sua postura, amanhã é mais um dia que você perdeu.

Na década de 1960, o psicólogo Walter Mischel decidiu fazer um teste para avaliar o nível de autocontrole de crianças. Esse teste ficou conhecido como "teste do marshmallow", ainda que o pesquisador tenha usado outros doces também. Ele deixava que os participantes escolhessem o doce que mais gostassem, podendo ser chocolate, sorvete, bala, cookie... Então a criança era levada para uma sala, sentada em uma cadeira diante de uma mesa. Sobre a mesa era colocado o doce preferido dela, depois ele dizia para a criança que sairia da sala e deixaria ela sozinha com o doce; se ela não comesse o doce, ela ganharia mais um quando o psicólogo voltasse. Se ela quisesse, poderia comer o doce, mas nesse caso não ganharia mais.

Assim, o pesquisador saía da sala, mas você consegue imaginar como a criança se sentia estando diante de um doce delicioso? Esse experimento foi repetido por outros pesquisadores em tempos mais recentes e alguns deles estão disponíveis em vídeos na internet. Os vídeos recentes do experimento demonstram exatamente o padrão de comportamento visto por Mischel lá na década de 1960. Alguns participantes começaram a comer o doce antes mesmo de o pesquisador sair da sala, outros conseguiram se controlar, às vezes com um grande esforço. Certas crianças até mesmo usaram a estratégia de ficar cheirando o doce ou retirar pequenos pedaços por vez tentando resistir. Para crianças, esse sacrifício é grande por conta do nível de maturidade cognitiva, e alguns minutos sendo privadas do prazer pode parecer uma eternidade.

Quando o pesquisador volta para a sala, ele dá o segundo doce a quem não tinha comido o primeiro, ou seja, uma recompensa para quem conseguiu agir com autocontrole. A questão principal que gira em torno do experimento é o autocontrole e os benefícios; as crianças sabiam que poderiam usufruir do benefício de doce em dobro caso se controlassem.

A dificuldade é que o prazer momentâneo acaba tirando da pessoa o benefício posterior. Entretanto, o mais importante é que esse experimento mostra, por meio dessas crianças, que muitas vezes as pessoas esquecem a questão do tempo. Elas preferem um prazer momentâneo a um benefício duradouro lá na frente. Então, o que para as crianças é um marshmallow, um doce, um bombom, uma Coca-Cola em dobro, será que, para a maior parte das pessoas não entra na história da corrida dos ratos sobre a qual falei ao citar o livro *Pai Rico Pai Pobre*? Quer dizer, você, ao ganhar cinco mil prefere gastar tudo, comprar tudo o que você pode, em vez de investir e usufruir disso em três ou quatro anos?

Então, quando digo para você usar o tempo a seu favor, é entender, também, que, já que você tem esses 36.500 dias, mas tome cuidado, porque se você não se preparar da metade para a frente, não terá recursos ou boas condições de vida. Dessa forma, é muito importante que você aprenda, busque o conhecimento, se prepare, mas que você também pense como será a sua vida daqui para a frente, se você não está antecipando os seus sonhos e matando o seu futuro. Será que o seu presente não está custando o seu futuro?

O conhecimento não tem preço, então se você me disser: "Poxa, Charles, mas eu ando gastando muito. Ando comendo o meu marshmallow, mas o meu marshmallow tem sido conhecimento", daí eu topo discutir com você. Qualquer outra coisa, não, porque é esse conhecimento que tem o poder de multiplicar sua possibilidade de ganho. Mas qual o único problema e porém da história do conhecimento? Conheço várias pessoas que fazem diversos cursos ao longo do ano, sempre buscando conhecimento, mas nunca aplicam nada. Elas, na verdade, nem precisam mais de conhecimento. Por isso, cuidado, porque às vezes é o medo de as coisas darem certo que te atrapalha; você só estuda e não coloca nada em prática.

É lógico que existem casos discutíveis, por isso se alguém te disser: "Ah, eu ganho cinco mil, mas estou gastando 2,5 mil em um puta MBA que é muito caro...", pode até ser, aí podemos discutir, porque você não está comprando um carro, e sim investindo em algo que talvez dobre o seu salário.

Existe ainda a questão do "eu mereço", mas isso é muito problemático. Acredito muito na nossa prosperidade, e eu mesmo falo que a pessoa tem que se dar coisas, ter pequenas metas e tudo, mas há muita gente desleal usando o que eu falo e invertendo ou distorcendo essas ideias. Vou dar um exemplo aqui, vamos supor que você abriu seu negócio próprio, no qual você tinha uma meta de faturar R$ 100 mil no mês, e então faturou R$ 150 mil. E imagine que, nesse cenário, você está a fim de sair com duas amigas e pagar uma baita churrascaria para elas, totalmente dentro da razoabilidade. Afinal, você está trabalhando.

Ou, por exemplo, algum influenciador que vendeu um milhão no curso e está a fim de comprar um relógio de vinte mil, show de bola. Não é sobre isso que estou falando, estou me referindo a pessoas que têm o seguinte pensamento: "Ai... tive um dia superestressante, eu odeio meu chefe", não teve aumento nem nada, mas pensa: "Odeio meu chefe. Eu vou chamar todas as minhas amigas para almoçar e é isso aí, eu mereço". Sim, você merece. Você merece a condição que você está e não consegue sair.

Você já entendeu que o tempo é finito, que ele está contra você, e que deve buscar conhecimento, mas não pode antecipar os seus sonhos, os seus prazeres, como as crianças antecipam o marshmallow. Além disso, tem um ponto muito importante: quando, no início deste princípio, falei sobre pessoas que desperdiçam cinco, quinze anos, eu já perdi muito tempo também, não com depressões profundas, mas às vezes entramos em um limbo temporal em que passam-se um, dois, cinco, dez anos e não evoluímos, ficamos presos em certos sentimentos, as coisas não acontecem... seja no relacionamento, seja no trabalho, seja nas finanças. Quando olhamos para trás passaram-se anos e não sabemos onde aquele tempo foi parar, é como um dinheiro que some. O tempo também some nas nossas mãos e por isso precisamos falar de duas coisas importantes: ansiedade e depressão.

Não vou me aprofundar muito nesses tópicos neste momento, mas a gente pode vincular muito a questão da tristeza e da depressão ao passado, a coisas que aconteceram que você não se perdoou ou não perdoou o outro. Só que, se você não buscar ajuda para curar essa tristeza e depressão que estão relacionadas com o seu passado, ele vai consumir os dias do seu futuro, e aí a conta não fecha. Se eu te avisei que você tem 36.500 dias, você sabe que essa sua ampulheta está furada, está vazando areia, mais do que deveria, então você precisa tapar esse furo. "Poxa, Charlão, eu estou em depressão há anos, não consigo resolver isso". Se você não consegue sozinho tem que tomar outras atitudes, ou seja, vai ter que procurar ajuda, seja profissional ou até mesmo por meio da meditação, mas é preciso que você tape esse furo, porque o seu cronômetro está girando mais rápido dessa maneira.

Então, se você tem depressão ou tristeza profunda vinculadas a coisas que aconteceram na sua vida, vai ter que parar e resolver isso, porque senão o seu tempo vai contar mais rápido do que o dos outros.

O seu passado vai consumir os dias do seu futuro.

A maioria das pessoas não sabe onde está. O que você fez nos últimos cinco anos de significativo na sua vida? "Eu não fiz nada", por que não fez nada? "Ah, cara, deixa eu te falar a verdade? Eu trabalhava em uma empresa assim, assim e assado, ninguém me valorizava, fui demitido e agora não faço mais nada". Ah, então por que te trataram como um merda, você virou um merda? Você era uma boa pessoa, um bom trabalhador, não te deram valor, te demitiram e, em vez de você revolucionar a sua vida provando que você não era aquilo, você se tornou exatamente aquilo?

"Ah, eu não fico mais até depois do horário", mas por que você não fica mais até depois do seu horário? "Eu já fiquei um dia e não me deram valor", quer dizer que você era um bom profissional e aí te trataram como um mau profissional e você virou de fato um mau profissional? Não faz sentido algum. Então parabéns para quem te demitiu, eles só anteciparam quem você iria se tornar, você poderia ter virado isso dentro da própria empresa dos caras, eles tiveram a visão, olharam para você e pensaram: "Esse cara não é um bom profissional, ele é um mau profissional fazendo o papel de um bom profissional, mas daqui a pouco ele vira um mau profissional", e foi o que você se tornou.

Embora focar nossa atenção para acontecimentos anteriores seja importante, este não é um livro que trata apenas do passado, e, como já disse em diversos momentos, o que interessa é a sua vida daqui para a frente. Quando falamos de futuro, existe um mal que assola a todos, inclusive a mim, que é a ansiedade. Sendo assim, a tristeza e a depressão estão muito vinculadas ao passado, enquanto a ansiedade está vinculada ao futuro.

Nós vivemos em constante preocupação com o amanhã, afinal, o que vai acontecer amanhã? O que vai acontecer ano que vem? O que vai acontecer daqui a dez anos? A sociedade também faz com que nos preocupemos com metas. Eu mesmo, neste livro, te cobrei várias vezes para que você fizesse as suas metas, e isso gera ansiedade. Mas isso é ruim? Então, se preocupar com o futuro é algo necessário desde a época das cavernas, nós precisávamos nos preocupar com o que comeríamos no dia seguinte, onde estaríamos, se conseguiríamos nos reproduzir...

Dessa forma, a preocupação é uma parte importante do que você tem que fazer. Entretanto, se você se preocupar demais, estiver muito ansioso e se isso estiver te impossibilitando de tomar atitudes, o seu futuro não vai existir.

Portanto, esses sentimentos precisam estar no seu radar, porque ao longo da sua vida, em diversos momentos, você vai ter, sim, essas sensações das quais precisa se proteger, mas como? Jogando luz, tendo consciência. Ao ter a consciência "eu estou triste", "eu estou depressivo", "eu estou ansioso", você já andou metade do caminho, pois identificou o problema, e, por isso poderá resolvê-lo. Acabou. Você está ansioso por quê? Você está sem dinheiro? Você não está evoluindo no seu trabalho?

E agora que já discutimos a questão do tempo, você vai viver – e eu espero que você passe disso – 36.500 dias. Mas para encerrarmos este princípio, gostaria de pontuar uma última coisa: se o seu tempo já está estimado, a cada dia que passa, é um dia a menos na sua vida. Então, que tal, nos próximos dias, você aproveitar melhor esse tempo?

Para isso, tenho algumas sugestões; você não é obrigado a segui-las, mas, se quiser, já pode até começar a fazer. Vou dar um exemplo, você pode gastar uma hora do seu tempo na academia, uma hora do seu tempo escutando podcast, e outra hora do seu tempo monitorando a sua saúde para que você beba dois litros de água, mas quer saber o mais interessante? Você pode fazer essas três coisas ao mesmo tempo. Então, por que não fazer uma hora de exercícios todos os dias, escutando um podcast ou algo útil e ainda assim bebendo algo saudável? Você concorda comigo que está otimizando o seu tempo com algo que, provavelmente, vai te trazer mais resultado e quiçá até mais tempo, se tudo der certo?

Durante alguns anos, eu não aproveitei o meu tempo da melhor forma possível, mas hoje eu aproveito. Então, quando estou lavando louça, treinando na academia, tomando banho, quando faço qualquer uma dessas tarefas, tenho o meu celular próximo em um podcast ou em um vídeo que vão me ajudar a chegar aonde eu quero.

"Poxa, Charles, mas me sinto bem fazendo esteira escutando uma música", tudo bem, eu também me sinto bem assim, muitas vezes escuto uma música, mas só escutar uma música vai te levar aonde você quer? **Chega de fazer somente o que você gosta, faça também o que precisa ser feito.**

Gostaria só de deixar aqui uma observação para que o nosso papo fique bem claro, não estou dizendo que todas as vezes que você for à academia, lavar louça, caminhar com seu cachorro... esse tempo precisa ser 100% produtivo, mas pare e pense comigo aqui, se você começar a criar o hábito de, em alguns momentos que você faz alguma atividade que possibilite agregar algo construtivo como estudar e aprender algo novo, já é muito melhor do que não fazer nada. Gosto também de escutar uma música, de ver um vídeo de piadas, eventualmente, mas tento tornar o meu tempo o mais produtivo possível.

Gostaria de dizer, também, que é tudo uma questão de equilíbrio. Porque, por exemplo, até mesmo quando você faz uma higiene mental se distraindo, reduzindo os seus níveis de estresse, você também está otimizando o seu tempo. Quando eu começo um exercício físico de manhã, normalmente uma música mais alta me ajuda a energizar. Aí começo a raciocinar, pensar, ter várias ideias, elaboro até algum conteúdo, e sabe por quê? Meu cérebro está em uma explosão, então é justamente o momento que aproveito para absorver informações de fontes diferentes, porque já tenho o meu conhecimento, mas ele é finito. Quando temos o nosso conhecimento, mais uma carga emocional positiva e o conhecimento de terceiros, nós formamos um caldeirão de ideias.

Agora que já falamos sobre como o seu tempo é finito e especial, bora usá-lo da melhor forma possível. E como propus em outros princípios, vamos aqui tentar fazer um exercício de melhoria? Vamos imaginar que nos últimos dias você não tenha feito nada, ou seja, nos últimos meses não escutou um podcast correlato à sua área de atuação ou à área que você quer aprender, não viu nenhum vídeo educativo no YouTube, não leu um livro. Portanto, que tal colocar um desafio de que essa semana você tentará casar as duas coisas em uma? Ou seja, ao passear com seu cachorro, você vai escutar um podcast. Ao lavar a louça, você verá um vídeo no YouTube com algum aprendizado ou conhecimento novo. Tente melhorar em pelo menos um ponto nesta semana.

Não gosto de mentores, gurus, professores que tentam te tirar do zero a cem em dois segundos, e sabe por quê? Porque vai durar apenas dois segundos. Aqui nós estamos trabalhando com uma melhoria contínua, em que esse impacto do que está sendo compartilhado neste livro vai ser para todos os dias da sua vida. Portanto, não se preocupe em sair de zero a cem em dois segundos, se preocupe em estar andando a cem quilômetros por hora daqui a um tempo de forma que você nunca mais pare. Faz muito mais sentido, certo?

Não estou preocupado com aquela coisa de "quantos livros a pessoa leu nos últimos cinco anos?". Não leu nenhum? Então quero que leia pelo menos um este ano. "Ah, você tem que ler dez", nem fudendo! Cara, é hábito, é constância e consistência.

Se não leio uma parte de um livro em uma semana fico maluco, porque já virou um hábito para mim.

Princípio

15

Utilize o efeito órbita e mude de patamar

Qual é o conceito do "Use o efeito órbita e mude de patamar"? Até agora, neste livro, falamos sobre muitos pontos que podem ajudar uma pessoa a evoluir, seja na leitura, nas amizades, na família ou com o cônjuge, em diversas áreas da vida. Porém tem um pequeno problema, ninguém quer evoluir para que daqui a quarenta anos esteja bem; a pessoa quer evoluir logo, eu e você queremos evoluir logo, todo mundo quer evoluir logo. Principalmente porque queremos retomar o tempo perdido, logo, se você não leu nenhum livro nos últimos trinta anos, agora você acha que vai ler todos os livros nos próximos doze meses, mas a vida infelizmente não funciona assim.

Qual a conclusão a que podemos chegar? A conclusão é que é possível evoluir, mas tem outro ponto importante: com qual velocidade? Neste princípio, vamos abordar a questão da velocidade que você quer para evoluir, para chegar aonde quiser, mas, principalmente também, quanto tempo você quer ficar até chegar lá. Existem aqueles ditados clichês que dizem que é fácil chegar no topo de uma montanha, mas é difícil se manter lá em cima.

Vamos imaginar que você já tomou a decisão e, se chegou até este princípio do livro, é possível que continue, pois a essa altura já tomou a decisão de mudar sua vida, evoluir, melhorar um pouquinho todos os dias, mas também decidiu acelerar esse processo, o que é ótimo, principalmente se você deixou um tempo perdido. Gosto muito de comparar a vida a um voo de avião e, se você já pegou algum voo, sabe ou deveria saber que o avião consome muito combustível e que precisa de muita força para ficar voando, principalmente esses de duas, três, quatro turbinas. Ele está consumindo muito combustível e, se os motores pararem, provavelmente, ele vai cair, no máximo vai planar um pouquinho e depois cair. Então, qual a conclusão a que podemos chegar? Ou o avião queima muito combustível e voa, ou para de queimar combustível e imediatamente começa a descer; esse é um avião.

A vida pode ser comparada a um avião, porque nós acordamos, vamos para a academia, temos que trabalhar, estudar, resolver os problemas de casa, e em tudo isso queimamos muito combustível. Bom, e se eu resolvesse parar de queimar combustível e não fazer mais nada? Igual ao avião, você vai cair. Se você acordasse e decidisse mandar seu chefe à merda, provavelmente, nas próximas semanas ou meses, você teria que arrumar outro emprego, assim como se você jogasse uma maçã no seu professor da universidade, seria expulso, teria que correr atrás do prejuízo. O que estou querendo dizer aqui em pormenores é exatamente isso, a sua vida nada mais é do que um avião queimando uma enorme quantidade de energia todos os dias e você não pode parar. O pior é que a sociedade nos faz e nos torna pessoas medíocres. Medíocres, aqui, é utilizado para se referir a pessoas que estão na média, não é um xingamento – apesar de que acho o "estar na média" um xingamento, e não gostaria que ninguém falasse que estou na média. Quanto mais tempo nós levarmos a vida de forma medíocre, mais combustível nós queimaremos e não podemos parar.

Uma prova disso é que muitos de nós nos desesperamos quando estamos doentes e não podemos trabalhar, com medo de que alguém nos substitua, nos mande embora, e com isso se torna até mesmo um hábito comum das pessoas não tirar férias por medo de que alguém possa pegar o lugar delas, mas por que isso? Porque você tem essa noção, consciente ou inconscientemente, de que é um avião queimando energia o tempo inteiro.

"Poxa, Charlão, mas compreendi e concordo com isso, mas dá para ser diferente?", aí é que está a questão, é possível ser diferente. Estudando a vida de multimilionários, bilionários, com as minhas próprias experiências de vida e experiências pessoais, consegui identificar um formato, uma série de atitudes que podem fazer com que você leve uma vida diferente. A sociedade diz que você tem que queimar energia o tempo inteiro senão vai cair, e agora estou te falando o seguinte: dá para ser diferente disso. Porém, tem um pequeno problema, que é o fato de que no início vai piorar muito antes de melhorar. Topa? Essa é a grande questão.

Agora, qual é a outra proposta? O que identifiquei e vi com bilionários, lendo, vivenciando, vendo os meus chefes bem-sucedidos, os meus chefes malsucedidos, amigos, família e tudo isso, é que existe um outro formato que, se a gente for comparar com a história do avião, seria o de um foguete. Diferentemente do avião, o foguete queima muita energia, muito mais, por um curto espaço de tempo, mas o que ele faz? Coloca um satélite em órbita na Terra. Ele queima mais energia e os riscos são maiores, de explosão, de não dar certo, ou seja, há uma série de problemas e você queima muito mais energia, mas quando um satélite é posto em órbita, quando alguma coisa sai da Terra, você já não precisa mais queimar energia.

O que eu estou falando aqui é que você pode levar uma vida medíocre por dez, quinze, vinte, trinta anos e continuar queimando energia como um avião, mas tenho uma proposta diferente: pelos próximos cinco anos, você vai queimar muito mais energia do que qualquer um, mas vai chegar em órbita e essa órbita vai te proporcionar parar, e ter o seu tempo de volta.

Por exemplo, se eu quisesse não trabalhar por um ano, eu tenho condições, por quê? Porque estou em órbita, não estou mais em um avião queimando energia. Agora, traz aqui uma porrada de gente da minha idade, 46 anos, que não tem dinheiro, provavelmente porque dos vinte aos trinta o cara não trabalhou pra caralho, não quis fazer MBA, não quis dar aula em faculdade, não quis ter uma renda extra, não quis viver viajando a trabalho... e por aí vai.

Já tive papo com amigos que viraram para mim, na época em que eu viajava e dormia em qualquer lugar, e disseram: "Se eu tiver que viajar a trabalho a empresa tem que pagar um hotel melhor que a minha casa, porque não vou trabalhar e dormir em um lugar pior do que a minha casa". Que isso, bichão? Está tudo bem, seja assim se você acha que tem que ser dessa maneira, beleza. Eu já dormi dentro do carro, mas o que você deseja depende de você.

Esse efeito órbita te dá uma chance de pegar essa responsabilidade, acelerar um pouco agora para que você ganhe seu tempo de volta. O que é preciso para isso? Uma queima de energia maior. Você vai fazer uma força, em vez de trabalhar X tempo em quinze, vinte anos, você vai fazer isso em cinco, e você vai estourar, podendo até explodir. Por isso precisamos ter alguns controles, os seus instrumentos. Você não pode deixar de olhar para a sua saúde, além de tomar cuidado com o *burnout*. Quanto melhor for a sua alimentação, melhor for o seu cuidado com seu corpo, a chance do seu foguete explodir é menor. Então o que tem que ser feito nesse momento? Sincronizar os dois, porque sim, é possível acelerar, contanto que você prepare a sua estrutura, a sua versão foguete.

É importante salientar que, durante a vida, em algum momento você vai ter um desequilíbrio controlado. Gostaria de falar que não estou incentivando ninguém a ter um *burnout*, apesar de que, se você tiver a oportunidade de conversar com pessoas bem-sucedidas, provavelmente, a chance de essas pessoas não terem trabalhado muito durante um período de tempo é praticamente zero. Então, tome cuidado com falsos gurus que pregam equilíbrio, quando, na verdade, a vida deles é desequilibrada.

Tem alguns gurus perigosíssimos, diria até criminoso o que os caras fazem ao propagar: "Ah, você tem que equilibrar tudo na vida", e você repara na vida deles algo superdesequilibrado, viagens, trabalho etc.

Enquanto eu digo "você tem que trabalhar mais e se dedicar", aparece um "falso guru", ou outra pessoa que fala: "Vou te vender meu curso por R$ 1.997,00 para que você aprenda a equilibrar a sua vida", mas não existe isso. A vida não tem atalhos.

Isso acontece porque eles falam o que as pessoas querem ouvir. Dourar a pílula é algo que traz um conforto para o nosso cérebro que gosta de ser enganado. Um exemplo disso é a pessoa que está muito acima do peso e que, em vez de me escutar, abre o canal de um sedentário que vai falar: "Você tem que se sentir bem com quem você é e do jeito que está". Não estou dizendo que não temos que nos sentir bem com nós mesmos, mas sim que essa pessoa tem que se cuidar e melhorar, enquanto o outro cara está falando apenas: "Seja sedentário e feliz".

Já deixo bem claro aqui que não quero incentivar o *burnout*, pelo contrário; já passei algumas vezes por isso, mas realmente não vejo um caminho simplificado, bonitinho para que você cresça tanto em uma empresa como no seu negócio, deixando tudo "equilibradinho". Caso você resolva equilibrar os pratos, lamento te informar, mas você só vai conseguir fazer isso com pouquíssimos pratos. Não tem milagre.

Então, o que você pode fazer nesse caso para que as coisas não saiam do controle? Cuidar-se, dormir bem, cuidar da alimentação, fazer *checkups* regulares, procurar ajuda... muitas pessoas bem-sucedidas também acabam sendo bem-sucedidas em algum esporte, porque a execução de alguma atividade física em paralelo vai te ajudar muito a passar por essa fase.

Oito recomendações para atingir o Efeito Órbita

Tendo isso tudo em vista, vou te passar agora oito recomendações para que você atinja o efeito órbita da melhor forma.

Recomendação nº 1: Pare de perder tempo vendo nada. Assistir a muita TV, ou seja, acordar e já ligá-la, aos finais de semana ficar caçando coisa para assistir, à noite ficar zapeando os canais antes de dormir é um hábito antigo, de pessoas mais velhas, da minha idade para cima... É essencial que a pessoa troque esse hábito por algo que seja um pouquinho mais condizente com o que ela quer, com os seus objetivos. Não sei qual é o seu objetivo, mas te garanto que, se você tem esse hábito, que também já tive um dia, precisa resolver isso. Não perca mais tempo vendo TV. "Poxa, Charles, mas esse tempo na TV eu uso para assistir o Telecurso 2000 e aprender uma nova profissão". Então ok, utilize a TV, e pode até dobrar o tempo, senão, pare de enrolação.

Recomendação nº 2: Utilize seu tempo de forma útil. Caso você seja da nova geração que curte *streaming* e também esse mundo novo do podcast, como já falei anteriormente, preciso que você utilize ao máximo o seu tempo, por isso, aproveite os finais de semana e o seu dia a dia de forma que você veja coisas que vão fazer a diferença na sua vida. Qualquer que seja o seu trabalho, a quantidade de material que tem hoje é enorme nessas plataformas, no próprio YouTube também, por exemplo. Você precisa imediatamente fazer anotações, buscar esse material, organizar uma forma de ver todo um conteúdo útil possível nos próximos meses. Desde conteúdo pago na Netflix, até gratuito no Youtube, o conhecimento está disponível como nunca.

Lembra que falei sobre a questão da mediocridade? Ao fazer isso, você já está se posicionando de forma diferente da maior parte das pessoas, então estou querendo te tirar da linha da mediocridade.

Recomendação nº 3: Use as redes sociais com inteligência. Redes sociais. Sou suspeito, porque sou um entusiasta de redes sociais, então jamais usaria este livro para falar mal. Diferentemente de muitas pessoas, não acho que as redes sociais estão destruindo a humanidade, prejudicando tudo; óbvio que os algoritmos acabaram criando bolhas, e essas bolhas muitas vezes levam ao extremismo, mas também há o lado positivo das redes sociais. Se você já definiu seu plano, sabe seu propósito, sabe aonde quer chegar, vamos aproveitar esse poder das redes sociais para isso. Portanto, você está usando as redes sociais da forma certa ou a cada dez minutos pega seu celular para curtir uma fotinho de bunda?

Mas como podemos usar as redes sociais da forma certa? De acordo com os nossos objetivos, assim como acabei de falar com você sobre a Netflix. Não estou pedindo para você se tornar um extraterrestre e não ter mais os hábitos que todo mundo tem; estou pedindo apenas para você alinhar esses hábitos com os seus objetivos. Ou você acha que não vai fazer nenhuma diferença você consumir todos os materiais possíveis sobre o tema que você quer evoluir? Não vejo nada de prejudicial em você ser o maior conhecedor da sua área de atuação, seja você CLT ou empreendedor.

É muito bizarro imaginar que existem pessoas que querem evoluir em um determinado segmento e não consomem conteúdo sobre ele, ou você acha que vai evoluir de dentro para fora? Sem consumir conteúdo? Isso é uma idiotice. Acredito que você possa evoluir sozinho, mas olha que coisa burra, você vai querer desenvolver as próprias teorias quando, muitas vezes, isso já foi desenvolvido. Então, ao ignorar o conhecimento que está disponível no mundo, você está perdendo um tempo enorme.

Recomendação nº 4: Faça exercícios físicos. Estou abordando aqui um tema muito delicado, que com certeza levará ou poderá levar muitas pessoas ao *burnout*, mas não quero de jeito nenhum que isso aconteça. Então, tente, apenas faça e dê o seu melhor nisso, tente ao máximo incluir exercícios na sua rotina, no mínimo três vezes na semana. "Poxa, Charles, eu não consigo incluir exercício físico três vezes na semana", então mude a sua rotina ou vai dar errado. Não conheço a sua vida, não sou profeta, mas te garanto que o que você está fazendo vai dar errado. Se a pessoa não consegue encaixar nada, ela pode voltar um passo atrás e refazer a rotina dela. O que será que faz a pessoa pensar que não pode dedicar trinta minutos a um treino, alguma atividade física, algum esporte?

O que posso sugerir para você é pensar em algum exercício físico que possa ser feito próximo de casa, próximo do trabalho ou próximo da sua escola ou faculdade. Se você esperar chegar em casa do trabalho para trocar de roupa, resolver alguma coisa e sair, não vai dar certo, ainda mais tendo que pegar um ônibus, pegar o carro...

Ter o hábito de acordar cedo também pode ajudar a fazer dar certo. Vamos parar para analisar, geralmente, ninguém começa a trabalhar ou a estudar às seis da manhã, mas a essa hora a academia já está aberta. Ou então pense em simplesmente caminhar na rua... qualquer coisa. Portanto, dê preferência para fazer o exercício no início da manhã, para mim, faz muita diferença. Também prefiro no início do dia, me sinto bem no início do dia, e a ciência já nos provou isso.

Pare de perder tempo pensando em problemas que já foram resolvidos.

Recomendação nº 5: Cuide da sua alimentação. Não queremos que o seu foguete pare no meio do caminho porque o combustível está adulterado, o que, aliás, me leva a pensar como eu mesmo, durante muito tempo, cometi erros que são inexplicáveis. Se soubéssemos de um posto de gasolina que utiliza combustível adulterado, jamais pararíamos para abastecer nele, ou seja, não queremos estragar o nosso carro, mas o nosso corpo nós estragamos diariamente nos alimentando de péssima maneira. Não vou aqui me colocar como "Senhor Alimentação" ou o cara que tem a alimentação mais perfeita do mundo, mas de alguns anos para cá tenho aprendido a respeitar o meu corpo e, por isso, evito alimentos ultraprocessados, além de comer salada todos os dias e beber, no mínimo, dois litros de água por dia. Esses são pequenos hábitos que nos garantem uma alimentação saudável.

Tem muitas pessoas que encontram justificativa para tudo, desde "eu não gosto" até "ah, mas eu não tenho tempo para me alimentar bem, para cozinhar...". Existem milhares de pessoas que nem têm o hábito de comer frutas, mas no Brasil não tem essa desculpa. Se vivêssemos assim nos EUA, onde o hambúrguer é US$ 1 e tem mais escassez desse tipo de alimento, ok, mas no Brasil? Tá maluco? Em qualquer sacolão da vida você acha uma variedade enorme de frutas, um PF bem-feito ou um restaurante por quilo em que você seleciona o que quiser.

Recomendação nº 6: Mate as tarefas difíceis. É muito importante que você não fique postergando as tarefas mais difíceis do dia a dia, porque isso mata a sua produtividade. E por que mata a sua produtividade? Porque é algo que fica na sua cabeça, toma tempo, gera emoções negativas, te dá uma ideia de sobrecarga. Ter muitas tarefas pendentes, principalmente as difíceis que você não gosta de realizar, só faz com que você fique procrastinando muito e isso atrapalha completamente o seu dia. Confie em mim, falo assim porque isso já aconteceu comigo.

E qual a solução? Simples, um bloco de papel e uma caneta, se possível já pegue os dois agora. Curiosamente, não sei se você já assistiu algum vídeo meu no YouTube, mas tenho sorteios em que fazem parte do prêmio um livro e um bloco de anotações; agora, você já se perguntou por que vai esse bloco? O bloco vai junto para que as pessoas organizem suas vidas da mesma forma que organizo a minha. É tão simples que nem um baita procrastinador vai conseguir me dar uma desculpa, ou você não consegue ter um bloco e uma caneta?

Eu assumo que sou o "Senhor Bloco e Caneta", então como começa o meu dia? Sempre com anotações do que tenho para fazer naquele dia e, assim, vou riscando as tarefas à medida que vou completando cada uma. Esse ritual começa logo depois de me levantar, pois já penso em como será o meu dia, analiso as tarefas que terei ao longo do dia, bem como pendências do dia anterior. Também sempre começo o dia com uma página em branco, a não ser que eu tenha compromissos previamente agendados.

Na sua lista, anote essa minha sugestão, e você pode escolher a forma que quiser para organizá-la. Porém, uma das mais conhecidas é a matriz de Eisenhower. Essa é uma boa estratégia para que você não fique com aquela sensação de ter um elefante inteiro na sua frente, daí você pensa: "Caramba, eu não vou conseguir engolir tudo de uma vez".

Matriz de Eisenhower

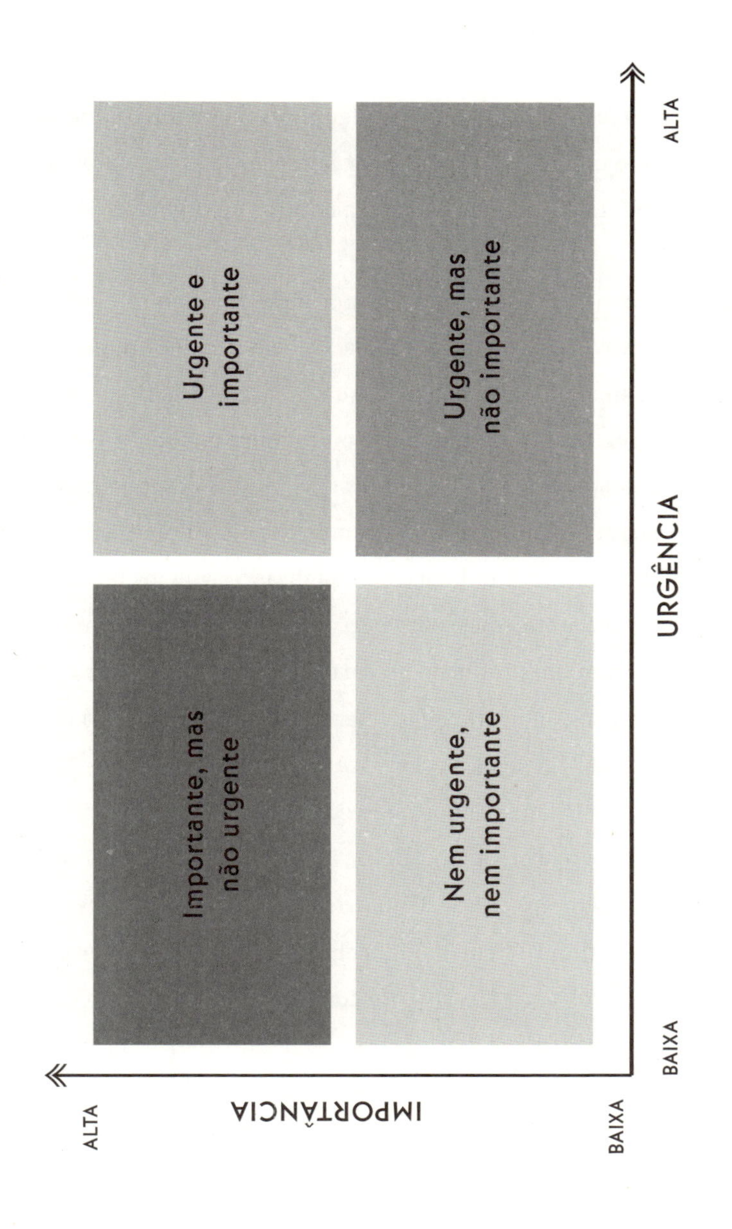

Como é possível perceber, você consegue separar: o que é importante, mas não é urgente; o que é urgente e importante; o que nem é urgente nem importante; e o que é urgente mas não importante.

Só um último ponto, eu gosto de usar uma caneta e um bloco, mas se para você é melhor um post it, ou usar algum planejamento online tipo Notion, tá tudo ok, o que não dá é para ficar perdido sem planejamento, é impossível ser produtivo sem uma estrutura mínima de organização.

Recomendação nº 7: Reorganize a sua vida financeira. Se você quer dar um salto muito maior do que a média, trabalhar mais, atingir a órbita e poder parar, ter uma vida diferenciada, sua cabeça precisa estar no lugar e ninguém consegue ter um desempenho muito bom quando a vida está desorganizada. Já sei que você vai se lembrar de muitos empresários que dão entrevistas e falam que quebraram, mas que depois se reergueram, e você pode até estar pensando: "Também estou quebrado e vou me levantar", tudo bem, você pode se levantar, mas, para isso, primeiro você tem que se organizar. Se você está com um problema no cartão de crédito, se a tua conta está meio bagunçada, pare, agora, nesse momento, enquanto você está lendo este livro, reorganize suas finanças, aí sim você dá o próximo passo.

Esses empresários quebrados que você encontra por aí, sim, eles quebraram, eu já conversei com alguns deles, inclusive, mas eles se reorganizaram para que a vida prosseguisse. É muito difícil uma pessoa com a vida desorganizada, cheia de problemas financeiros, conseguir prosperar, porque mesmo que esteja sol, você fica sempre com uma nuvem na cabeça quando tem problema financeiro. Muitas vezes você vai estar com a sua família, todo mundo em um bom momento, em um momento de felicidade, mas não vai estar completamente feliz, ou até mesmo presente, por estar com aquele problema financeiro.

Não estou pedindo para que você resolva o problema do dia para a noite, porque muitas vezes esses problemas demandam tempo. Apenas peço que você organize possibilidades de resolução do problema, e aí sim poderá dar essa acelerada.

Recomendação nº 8: Não esteja motivado, seja disciplinado. Provavelmente você deve estar imaginando que saiu escrito errado no livro, porque deveria estar "esteja motivado", mas não. Estou pedindo para que você não esteja motivado mesmo. Isso porque, se você quer chegar na órbita, sair dessa vida de queima de combustível e ter uma vida melhor de forma mais rápida, a motivação pode te ajudar no início, mas a palavra para isso não é motivação, é disciplina.

Então, estou cagando para o quanto você está motivado para que a sua vida dê certo; neste momento, preciso que você esteja comprometido, que tenha disciplina, porque se estiver motivado para mudar e aparecer uma dificuldade amanhã, você vai deixar de estar motivado. Agora, se estiver comprometido e disciplinado, quando aparecer a primeira dificuldade, você vai entender que é uma dificuldade passageira, e que mesmo assim é necessário seguir em frente.

É muito importante que você entenda a diferença entre motivação, disciplina e comprometimento. Para você chegar mais longe, não precisa SÓ da motivação; a motivação é muito legal, é bonita, é linda. Se você quiser gritar todo dia: "Eu sou foda" de manhã, não sou contra, mas, para o local aonde você quer chegar, não existe ninguém que chegou sem disciplina. Conheço milionários que muitas vezes, por diversos motivos, ficaram desmotivados, mas não conheço nenhum milionário sem disciplina e comprometimento.

A motivação é aquele negócio, né? O *coach* diz: "Vamos lá, todo mundo, 'eu sou foda!'", aí a pessoa se arrepia e grita: "Eu sou foda!". Aí chega segunda-feira, "acabou o ovo, José, tem que comprar o ovo", "já andou com o cachorro?", "não andei, que merda!". Em dois dias você não é mais foda. Acabou. Por isso as pessoas vão a esses eventos de *coach* e a vida delas não muda nada.

Agora, se você traça um plano: "Vou fazer isso, aquilo, entrar em uma faculdade, vou começar a trabalhar, fazer uma renda extra, vou comprar uns produtos e vender no mercado livre...". Se o cara cria um plano, segue uma coisa bonitinha, está comprometido e com disciplina, não interessa.

A motivação é legal? É legal e não sou contra a motivação, acho importante que a gente esteja motivado. Não sou contra a motivação, mas sabe o que a motivação vai fazer nessa história de órbita? No máximo, ela fará com que o seu foguete comece a pegar fogo, dê a partida. Porém, o que vai te colocar em órbita é a disciplina e o comprometimento. Comprometimento esse que você vai ter consigo mesmo, ou seja, mesmo que algo dê errado, você vai continuar.

Essa diferença entre comprometimento, disciplina e motivação é superimportante, porque essa empolgação não dura para sempre. Pode reparar na quantidade de pessoas empolgadas a princípio, mas e depois? Vou dar aqui um exemplo concreto: muitas pessoas me pedem conselhos para começar um canal no YouTube, e como o meu canal tem sucesso elas me pedem: "Pô, Charlão, como começar um canal no YouTube?", e como sempre, respondo as mesmas coisas. Paro por um tempo, sento e explico o funcionamento: tão importante quanto qualidade é a consistência na plataforma, por isso você precisa de dois a três vídeos por semana no mesmo dia, mesmo horário. O problema é que a pessoa muito "empolgada" e muito motivada me agradece, mas depois segue sua vida.

Gosto de acompanhar essas evoluções, e o que acontece normalmente? A pessoa começa um canal, poucos meses depois o canal fica abandonado, mas por quê? Porque no início do YouTube é muito difícil seu canal dar certo, a pessoa gasta a energia dela toda nessa motivação inicial, mas esquece o principal conselho que dei e que não foi sobre como começar, mas sim sobre ser consistente e disciplinado. No entanto, a pessoa não tem consistência, e por quê? Porque a motivação dela já acabou, então não está mais empolgada com o próprio canal. Por isso, se você não souber a diferença entre motivação, disciplina e comprometimento, você não conseguirá evoluir.

Princípio
16

Seja curioso e entenda o mundo

Se você já chegou até aqui, percebeu que dou muito valor para documentários e conhecimento de modo geral. E se você me acompanha, sabe que gosto muito de vinhos, charutos, cultura em geral, viagens... E por falar em viagem, você já se perguntou por que todo milionário vive viajando? Será que é só para postar as fotos no Instagram? Ou existe alguma coisa por trás? Posso te responder isso, já que a vida me proporcionou encontrar esses milionários pessoalmente.

E se você quer saber, no início da minha vida profissional, tive alguns chefes, que acabaram sendo mentores e gurus da minha carreira; também achava muito estranho que o tempo inteiro eles queriam viajar. Hoje, estando do outro lado da moeda, ou seja, do lado dos milionários, posso falar que não é só uma questão de luxo, prazer, culinária... até pode ser, em parte, mas a realidade é que o dinheiro pode te proporcionar uma coisa que é única: ter acesso a culturas diferentes. ***CONHECIMENTO NÃO OCUPA ESPAÇO.***

Como já disse anteriormente, até o início dos anos 2000, ter acesso à informação dependia muito da geografia, pois havia uma barreira geográfica. Então, se eu quisesse conhecer a cultura japonesa, chinesa, ou a forma como os americanos se alimentam, eu teria que ir até lá. Hoje em dia, você já sabe que por meio da internet nós temos diversas informações.

Aonde você quer chegar? É possível, da sua casa, ter acesso às mesmas informações que os milionários, você já parou para pensar nisso? Que as informações que estão disponíveis para o Bill Gates, para Warren Buffett, também estão disponíveis para você? E aí eu te pergunto, o que você está fazendo com essas informações? Ou você nem tinha se dado conta disso?

Um cérebro que se expande nunca mais volta ao seu estado original.

Dito isso, a ideia deste princípio, que você seja curioso e entenda o mundo, é que você abra os seus horizontes. Cerca de 99% das informações que você precisa são gratuitas, porque já estão disponíveis na internet. Portanto, você não tem um único motivo para não dar certo, pois é exatamente quando você olha para essas informações que você corre risco de dar certo.

Agora vamos lá, falar para você que os milionários viajam, curtem e buscam novas culturas, a princípio, não vai te ajudar em nada. Por isso, vou compartilhar alguns conselhos, que utilizei no passado e que podem te ajudar a evoluir.

Primeiro deles: estude a maior quantidade de temas vinculados ao conteúdo que você quer ter sucesso. Já falei um pouco antes com você sobre isso, mas sugiro que pegue um papel e uma caneta, pode ser o mesmo bloco que você usa para as suas tarefas, e anote. Não é no computador, é com papel e caneta, porque isso faz muita diferença. Anote tudo que você pode adquirir de informação gratuita vinculada à área que você deseja evoluir. Por exemplo, se você está no ramo da alimentação, quais são os documentários? Quais são os programas? Quais são os filmes? O que pode te levar além, que faz parte do seu segmento, que você não viu ainda?

Outro exemplo, se você é da área de vendas, existe um vasto material de documentários, de filmes, biografia de grandes vendedores, de lições de vendas, você já viu tudo isso? Se você não viu, o que você está esperando? Porque temos outro problema, lembra quando falei que hoje a barreira geográfica caiu? Isso é muito bonito, mas isso também causa um problema para você, e sabe qual é? Um problema que surgiu para todo mundo, não só para você. A questão é que, se você quer prosperar em um segmento, seus concorrentes podem estar olhando para a parte do seu segmento que você não está olhando e estudando.

O lado positivo é que você pode evoluir muito; entretanto, o lado negativo é que os seus concorrentes também podem evoluir e, nessa corrida, chegará mais longe quem estiver mais preparado e disciplinado. Portanto, estude – anote e estude – a maior quantidade de temas.

Segunda parte desse mesmo conceito: procure temas que você gosta. Isso é importante, por isso busque por temas que você goste, anote no máximo três e estude pelos próximos anos. Vou dar o meu exemplo: gosto muito de história, vinhos e charutos, há anos, e quem me acompanha nas redes sociais sabe que me aprofundei nesses assuntos, em boa parte de forma gratuita; mas como já tenho uma condição, no caso de vinhos, por exemplo, me formei *sommelier* e tirei certificações internacionais durante essa minha busca pelo conhecimento. "Poxa, Charles, mas no que estudar esses temas sem vínculo com seu propósito principal pode ajudar?" Em tudo! Quando comecei a estudar mais sobre história, vinhos e charuto, expandi meus horizontes, o tempo inteiro estou falando para vocês que conhecimento não ocupa espaço, e esse conhecimento vai te ajudar a chegar mais longe.

Agora, quando a gente consegue casar o conhecimento com algo que gostamos, fica muito mais fácil evoluir. Quando me pego estudando sobre vinhos, acabo estudando sobre história, empreendedorismo, guerras, cultura, dentro de um tema que gosto. Logo, separar tudo o que você puder de um tema com o qual quer trabalhar, evoluir, e buscar três temas que têm a ver com algo que você gosta, com certeza vão te levar mais longe.

Eu vou te ajudar, você gosta de futebol? Quem ganhou todas as Copas? Quais foram os países? Quais as histórias por trás desses países? Quem foram os grandes jogadores? Quais guerras aconteceram durante as principais Copas do Mundo? Quais países não puderam participar de Copas por que existiam guerras? Você sabe sobre isso?

"Poxa, Charles, não gosto de futebol, mas gosto de outros esportes"; nesse caso, você já procurou estudar sobre as Olimpíadas? Você sabe o que aconteceu na Olimpíada de Munique, sobre os atentados? Será que ocorreram ou não – será que nós tivemos ou não Olimpíadas durante as grandes guerras do mundo? Você já pesquisou sobre isso?

Não é só sobre conhecimento de mundo, é também sobre como a pessoa se torna mais interessante, até mesmo para que ela conquiste outras coisas. Ela se torna interessante para um novo trabalho, círculo de amizades, um relacionamento. Isso porque quando a pessoa é esvaziada de conteúdos, fica muito desinteressante.

Dito isso, faça as anotações de três temas que não são correlatos ao seu trabalho, então vocês já têm quatro temas. Você não precisa estudar os três, a minha intenção é que você nem estude os três de uma vez só, selecione um e estude, dois, três e estude, mas não passe de três, senão você vai continuar sem saber nada de nenhum tema. Tente começar com o que você mais gosta, seja de futebol, seja vinho, seja whisky, seja cerveja, aí pode até colocar quantas informações interessantes nós temos a respeito de cerveja, os principais produtores, o que se usa, as histórias, os monges que começaram isso tudo...

Um ponto muito interessante é que, ao estudar sobre tudo isso, temas vinculados ao que você quer e ao que gosta, já parou para pensar que você se tornará uma pessoa mais completa e mais interessante tanto profissionalmente quanto no lado pessoal? E você acha que ser uma pessoa melhor não vai te ajudar a chegar mais longe? Isso é muito importante, porque percebo que, muitas vezes, as pessoas vivem em uma escassez porque deixam o campo mental muito vazio, sem cuidar e sem ter ideias interessantes. Você já ouviu isso? "Ai, não me passa nada na cabeça". Mas o problema, ainda, era aquilo que eu estava falando nas teorias passadas. As pessoas acreditam que vão evoluir sozinhas, e não entendem que vai demorar muito tempo, que já têm muito conteúdo disponível. Portanto, pegue esse conteúdo, estude e evolua.

Uma sugestão interessante dentro deste princípio está relacionada com as duas primeiras recomendações descritas no Princípio 15. Lembra que comentei sobre nós termos muitos documentários e filmes disponíveis hoje no mercado? Se você gosta de história, é muito importante que veja documentários como Chernobyl e Trotsky, que foram histórias reais e que em poucas horas você vai entender muito sobre esses acontecimentos históricos e até mesmo além disso. A partir desses dois documentários, entenderá o surgimento da União Soviética e a queda do país. Tenho uma coisa interessante para falar sobre isso, que ao entender o surgimento e o final, isso vai abrir a curiosidade para entender o meio – por isso mesmo que peguei as duas séries, uma que fala sobre o início e outra sobre o final.

A minha proposta aqui é te ajudar a evoluir começando pela simplicidade. Estou dando ferramentas para que você possa começar agora mesmo. Outro ponto interessante, se você quer entender um pouco a vida que nós vivemos hoje e gosta de um filme de ação, você pode ver uma série como Peaky Blinders, que apesar de tratar sobre a história de uma gangue, aborda questões de história, geografia, política, movimentos sociais, religião, tudo em uma única série que retrata o cotidiano da vida real de um determinado momento.

A minha pergunta para você é: isso não te interessa? O que você está esperando para mergulhar nesse mundo todo que está aí disponível? Porque eu te asseguro, lembra quando falei que já tive contato com muitos milionários e até bilionários? A cultura, na maior parte dessas pessoas, é muito evoluída. Eu, por exemplo, que gosto de estudar sobre história e guerras, já assisti algumas vezes uma série chamada Band of Brothers, que é muito interessante e retrata alguns conflitos da Segunda Guerra Mundial. Provavelmente já vi todos os filmes disponíveis sobre esse assunto, agora imagine o quanto isso me trouxe de informações sobre história, geografia, outras questões geopolíticas e tudo mais. "Poxa, Charles, mas eu não gosto de nada disso, de nenhum desses temas", então, você precisa sair dessa vida infantil de não gostar de nada. Eu não sou a sua mãe que vai te dar as cinco últimas colheres de sopa na boca.

Caso você não tenha disponibilidade de nenhum serviço de *streaming*, seja Netflix, Amazon, HBO, existem muitos programas no YouTube abertos. Como o TED, por exemplo, sobre diversos assuntos. Então, infelizmente, você não tem desculpa para não evoluir nessa área.

Nesse tema voltado à expansão cultural, o papel dos pais é fundamental também, pois quando eles expõem seus filhos a informações de qualidade, asseguram uma boa base cultural a eles. Por exemplo, cresci com pouco dinheiro, mas com muita cultura, e isso fez toda a diferença na minha vida. Lembro-me de que desde sempre meus avós viajavam muito, e um programa que minha mãe fazia era nos levar ao aeroporto para vê-los chegando de viagem.

Eles sempre traziam algum presente para nós e eu achava incrível aquilo. Estou falando da década de 1980, início de 1990, quando meus avós foram para a China, Japão, destinos que não eram tão comuns na época. Eles sempre traziam algum chapéu, quadros, e eu pensava: "Foi para a China, que coisa louca"... então isso despertou o interesse em mim. E também era uma casa cheia de livros, quer dizer, se você está lendo este livro e tem filhos, lembre-se, todos esses hábitos que você está começando a adquirir, de leitura, de evolução, de ver documentários, de alguma forma isso tudo vai passar para as próximas gerações, assim como as coisas negativas. Da mesma forma que um pai que bebe, casais que brigam, você passa agressividade, mesmo que não seja na frente dos seus filhos; bons hábitos também passam e eu só estou aqui porque sou fruto disso, porque cresci olhando prateleiras cheias de livro, e de alguma forma isso me tocou. Não é uma garantia de que vai dar certo, mas é um impulso muito forte.

Isso é essencial, porque pais que evoluem, aumentam, e muito, as chances de o filho evoluir (já falei disso aqui quando comentei do Bill Gates, dos computadores e dos trezentos alunos). Pais que evoluem com certeza ajudam na evolução dos filhos. Que tipo de ser humano você quer ser? Que tipo de pai você quer ser?

Princípio 17

Busque a evolução e descubra por que milionários não têm um milhão

Já estamos chegando ao final deste livro, e espero que você já tenha entendido que as suas ações falarão muito mais do que qualquer coisa. A minha convivência com milionários me mostrou coisas muito curiosas, por exemplo, a questão de que nunca encontrei um milionário com um milhão. Deixe-me corrigir, nunca encontrei um milionário só com um milhão.

Milionários normalmente têm mais de um milhão, e, com a experiência de vida que adquiri hoje, atualmente entendo por que isso acontece. A pessoa que se empenha em ter um milhão e trabalhar para chegar no seu primeiro milhão, quebra barreiras, tem disciplina, é comprometida, evolui, busca cultura e tudo que venho falando ao longo de todo este livro. Quem busca isso e chega no primeiro milhão, nunca para nele. A boa notícia que eu tenho para você é que o sucesso e o crescimento são cumulativos. Caso você já tenha assistido às séries de que falei, feito anotações, cuidado de sua saúde, se você começou a tomar as medidas que nós estamos conversando aqui desde o início do livro, você já é uma pessoa melhor e, daqui para a frente, você só vai se aprimorar.

Quando começamos a evoluir, dificilmente vamos querer involuir, teríamos que fazer um esforço para isso. Então, quais habilidades uma pessoa precisou conquistar para chegar a um milhão? Um conhecimento técnico, uma mentalidade diferente, novos hábitos... Além de ter conseguido alcançar um milhão, essa pessoa também já possui todo o conhecimento para isso, por essa razão ela tem uma facilidade muito maior de crescer. Também é comum que as pessoas, muitas vezes, tenham ficado milionárias depois dos quarenta ou cinquenta e até a morte elas acumularam um patrimônio gigantesco, porque a dificuldade se encontra muito mais no início do que no meio ou no fim.

Sair da situação em que você está agora, é muito mais difícil no início do que depois, quando você apenas precisa manter a evolução. É claro que você pode estar pensando em nomes de pessoas que perderam todo patrimônio, que tiveram dificuldades na vida, mas neste livro não buscamos a exceção da exceção, nós trabalhamos com a média, e, na média, os milionários não têm somente um milhão, têm muito mais do que isso. "Ah, eu tive um tio...", porra cara, foda-se. Onde temos de focar é na média.

Ainda nesse ponto, cabe salientar uma questão: tratarmos sobre aquelas pessoas que chegaram na condição de milionários e depois perderam tudo, e mesmo assim é muito comum que essas pessoas consigam se reerguer. Você já parou para pensar por que essas pessoas conseguem se reerguer com certa facilidade? Simples, porque elas já aprenderam, entenderam e já possuem as ferramentas para chegar até lá, então elas precisam repetir isso, e repetir esse processo demora menos tempo do que adquirir todo o aprendizado.

Portanto, a chance de você prosperar e evoluir seguindo o que estou compartilhando aqui é enorme, com uma vantagem, a evolução e o aprendizado são acumulativos e são coisas que ninguém jamais poderá tirar de você. Cada passo que você está dando aqui vai te levar além. E aí isso vai te levar cada vez mais além. Então você vai começar a ganhar dinheiro, e esse dinheiro vai te proporcionar a cultura, conhecimento e retorno, que vai te trazer mais possibilidades ainda. Portanto, você só precisa dar esse impulso inicial e continuar. Acredite em mim.

Vale dizer, também, que estou colocando todas essas questões ao final do livro porque, neste momento, você já tem que ter entendido todos os conselhos para entender esse ponto-chave. Se você continuar, tiver disciplina e tudo mais, bonitinho, a chance de você chegar no milhão e depois crescer é muito maior.

O grande problema é que as pessoas estão presas na arrebentação. Você, que já foi a uma praia, sabe bem que para entrar no mar tem que passar pela arrebentação; às vezes é muito difícil passar pela arrebentação, mas depois o mar fica mais tranquilo. A maior parte das pessoas está parada na arrebentação. Você está no seu emprego e é promovido, porém tem que trabalhar demais, aí sai, briga com a esposa... você fica preso porque a vida é uma grande arrebentação. Esse é o mesmo princípio da órbita, você não consegue chegar lá de início, mas quando chega, para que você multiplique tudo, é muito mais fácil, porque você já tem a caixinha de ferramentas e os conhecimentos necessários para isso.

Este princípio também se relaciona com aquele conceito de "quem tem dinheiro atrai mais dinheiro". A pessoa que já passou pelo vale da sombra da morte até chegar aonde ela está tem muito mais dificuldade para retroceder, só se fizer muita merda.

Nesse quesito, em que posso te ajudar? Exatamente no que você precisa, agora, neste início, para chegar nessa condição de milionário. As pessoas gostam de falar muito do primeiro milhão, mas para chegar lá é preciso mudar a mentalidade. Se estamos falando de milionário, também precisamos falar de mentalidade. O famoso *mindset*.

Infelizmente, temas como *mindset* e *coach* foram mal utilizados e interpretados nos últimos anos, mas são conceitos que precisamos abordar aqui. Afinal de contas, como você será um milionário se, na sua cabeça, ser milionário é uma coisa suja, feia, de pessoas que não são honestas?

Dessa forma, vamos falar um pouco dessa mentalidade. Não é o tema principal do livro, embora eu pense até em abordar esse assunto um dia em algum outro livro, mas, se você não gosta de milionários, a chance de você se tornar um é muito pequena, por quê? Porque o seu *mindset*, a sua mentalidade está estagnada, está programada para não gostar de algo. Logo, inconscientemente, você estará, o tempo inteiro, se sabotando para não conviver com pessoas assim e não se transformar em pessoas assim. Certo?

Gosto muito, por exemplo, dessa área de *coaching*, e até fui a um evento do famoso *coach* norte-americano Tony Robbins. Acompanho muito o trabalho dele, que foi pioneiro nessa área. Porém, obviamente, tem pessoas nesse mercado que não são sérias, assim como em todos os outros mercados. Por isso, é muito importante que, agora que estamos chegando ao fim do livro, você abandone algumas ideias que não vão te levar para a frente. Essa mentalidade de não gostar de milionários é muito ruim; como ela começou?

Bom, ela sempre começa da mesma forma para todo mundo, ou seja, em casa, com a família. Sua mãe falando que o seu tio rico não é honesto, que dinheiro é uma coisa suja, que quem é rico não vai para o céu, a história do camelo, da agulha, que é mais fácil passar um camelo na cabeça de uma agulha do que um rico entrar no reino dos céus... Isso tudo foi trabalhando em seu inconsciente, então, você pode até me falar: "Não, Charlão, eu não penso isso", mas seu inconsciente pensa e precisa de uma limpeza.

Um aspecto importante dentro desse contexto também é sobre a energia do dinheiro. Não vou me aprofundar sobre isso neste livro, mas dinheiro também tem a ver com energia. Então, cuidado para não represar as coisas na sua vida. Se você tem muitos objetos que você não usa, roupas, talheres, coisas velhas, pense bem em fazer com que essa roda gire. Ache um caminho para as suas coisas, faça o dinheiro girar. Assim como ele vai, ele voltará, e quem sabe até multiplicado.

Existem muitas questões sobre dinheiro e mentalidade que, de agora em diante, você deve dedicar parte do seu tempo a entender. Ou, se não, você vai passar a vida inteira se perguntando:

"Por que umas pessoas têm dinheiro e outras não?"

Não posso te garantir por que umas têm e outras não, mas posso te afirmar com toda a certeza que as que têm possuem uma mentalidade diferente das outras. Começa na nossa cabeça e, se começa na nossa cabeça, por que você está tomando ações sem mudar primeiro na sua cabeça? Não faz sentido, certo? A realidade é que é muito mais fácil do que parece. Não estou pedindo para você começar, a partir de amanhã, a trabalhar dezoito horas por dia; só estou te pedindo, neste momento, para que mude a sua mentalidade, porque trabalhar dezoito horas por dia sem mudar a mentalidade vai continuar te deixando pobre.

O sucesso é acumulativo, pois é uma constante evolução.

Princípio 18

Cuidado com o seu principal inimigo: o ego

Este é o último princípio, então, se você chegou até aqui: parabéns! Só que tem um pequeno problema que eu ainda preciso trazer para você... A ideia é que você vá evoluindo cada vez mais na sua vida, porém, quando você começa a evoluir, aparece uma armadilha no caminho: o ego.

No judaísmo, nós aprendemos a lidar um pouquinho com o ego, faz parte da nossa história e da nossa cultura. Isso é algo falado, ou seja, não é um assunto oculto. Por isso, nós temos a consciência de que ele pode ser um problema quando não for discutido. Então, a melhor arma que podemos ter contra o ego excessivo é justamente ter o conhecimento de que isso pode ser um problema.

Obviamente, o ego tem de ser considerado, pelo menos em parte. Ele é importante, mas também é essencial entendermos a etimologia da palavra. A palavra "ego" deriva do latim, e significa o nosso "eu". Portanto, você tem de pensar em si mesmo, certo? Ao longo do livro foram tratados assuntos como autorresponsabilidade, autoconhecimento, uma série de temas que abordam o nosso conhecimento interno. Dessa forma, você já entendeu a importância de focar em si, porém, o problema surge quando levamos isso a sério demais. Uma das características do povo judeu é justamente fazer piada de si mesmo. Isso já é por si só um antídoto contra o ego. É sobre você não se levar a sério demais.

O primeiro ponto fundamental deste princípio é você entender o que é ego. O ego sou "Eu". Ego é parte central e nuclear de alguém, ou seja, o núcleo da personalidade do indivíduo, o conceito que o indivíduo tem de si mesmo. A questão, que veremos a seguir, é quando isso pode consumir você a ponto de subir para a cabeça.

Aprendi, desde cedo, a lidar com esse problema, por estar inserido na comunidade judaica e por ter esse ensinamento na minha família. Faço parte de um povo que foi praticamente dizimado; o tempo inteiro querem nos eliminar e até disso fazemos piada, ou seja, há humor. Triste são as pessoas que se levam a sério demais. Ainda em relação a esse tema dentro do judaísmo, mesmo em festividades fazemos questão de lembrar de momentos ruins. Você já deve ter visto que em um casamento judaico nós embrulhamos um copo e quebramos durante a cerimônia. Por que fazemos isso? Existem várias teorias, mas a mais conhecida é que dessa forma nos lembraremos, em um momento de alegria, da destruição do templo sagrado. Ou seja, mesmo em um momento de alegria lembramos que a tristeza também existe e que também existem problemas. Isso é como se fosse um fio terra que nos prende a algo maior, para que nós não viajemos tanto nas situações do mundo.

Quando uma criança nasce, no oitavo dia é feita a circuncisão, que é chamada de *brit milá*. Esse é o momento de extrema alegria em que cumprimos um pacto com o Criador, e também há sangue. Então, no judaísmo, temos alegria e sangue, também temos festa e destruição e é isso que nos mantém conectados à vida. Você não pode ficar viajando, tem de estar centrado e se lembrar quem você é, de onde você veio, dos problemas que já enfrentou.

Você pode estar lendo o livro e achando que nunca vai sofrer desse mal, mas não conheço ninguém que prosperou e que, em algum momento, não se deparou com esse problema.

Óbvio que conheço pessoas que não prosperaram, que não tinham grana, não tinham uma boa condição e também tiveram problemas com o ego. Mas, por exemplo, nos 25 anos de trabalho em que estive visitando milhares de empresas e negócios, a maior parte de problemas de ego que encontrei foi com pessoas bem-sucedidas. E digo mais, muitas vezes pessoas que tinham vindo do nada, de muito baixo, ascendiam e se tornavam pessoas insuportáveis, e por quê? Ego. Pensavam demais nelas, elas eram o centro do Universo.

Então, não à toa este é o último princípio do livro, porque provavelmente, se você for bem-sucedido, vai se deparar com essa questão. É praticamente impossível, você tem de ser um santo, uma pessoa muito espiritualizada para ter dinheiro, ter status, se olhar no espelho e não achar que você é mais do que você é, que você é mais importante que as pessoas. É muito difícil, ainda mais nesse mundo de influenciadores, e falo isso com propriedade, porque também é um desafio para mim.

Às vezes, o nosso ego nos deixa tão cegos que negligenciamos ou somos muito duros com a própria família. Para exemplificar, vou contar uma história judaica muito conhecida. Havia um homem muito bem-sucedido que tinha um pai idoso, doente, com Alzheimer e vários problemas de saúde. Esse homem se incomodava muito de ter o pai em casa, porque tinha de cuidar dele. Até que em uma noite fria de inverno, no jantar, o pai deixou cair comida no tapete persa da casa. O filho ficou muito puto e estourou com o pai: "Porra, meu tapete persa! Você sujou tudo! O que vão pensar disso?" E ainda continuou: "Meu tapete... Ó pai, você deixou cair o negócio então eu vou te deixar lá fora um pouquinho no frio para você aprender".

Dessa vez, o filho daquele idoso virou para o seu próprio filho e disse: "Vá buscar o cobertor para o seu avô porque ele vai ficar lá fora um pouquinho no frio para aprender a não fazer essas cagadas". Aí o moleque subiu para pegar o cobertor e nada de voltar, nada de voltar, o pai estava nervoso já com toda essa situação e, então subiu para ver o que estava acontecendo. Foi quando viu que seu filho estava cortando o cobertor pela metade, então disse a ele: "Ué, por que você está cortando o cobertor? Me dá o cobertor para eu entregar ao seu avô para ele ficar lá fora". Então, ele respondeu: "Não, papai, calma. Eu estou cortando o cobertor porque metade eu vou dar para o vovô e a outra metade eu vou guardar para quando você ficar assim também".

A moral que podemos extrair dessa história é que nós temos de ter cuidado com a forma como tratamos os outros, porque nós estamos replicando isso para o mundo, e isso tem volta.

Agora que já temos uma contextualização sobre o ego, vou explicar melhor como você pode se proteger. Antes de mais nada, seja responsável e saiba quem você é. Exercite o seu autoconhecimento, que nós já falamos muito durante os primeiros princípios. É necessário ter uma definição clara de quem você é e quem deseja ser para não ter problemas com o ego.

O ego inflado gera cegueira, gera falta de percepção da realidade. Esteja sempre atento às armadilhas do ego.

Cuidado com o excesso de consideração, de adoração e de apreço exagerado por si mesmo. Quantas pessoas se perdem por pensar que são melhores do que as outras? Segundo o livro *O ego é seu inimigo*, de Ryan Holiday, o ego é uma crença doentia na própria importância. Gostei muito dessa definição, e isso explica por que pessoas que ficam famosas com filmes, novelas, redes sociais, e que ficam ricas se acham importantes demais, e isso também se relaciona com o que falei sobre o judaísmo. Quando estou fazendo piada comigo mesmo, e não estou me levando a sério, já estou equacionando e equilibrando esse ego.

O ego tem a ver com a sua vaidade ou hipervalorização. É você para você e por você. Já o propósito tem a ver com missão, com legado, com aquilo que você faz não por vaidade, mas para ajudar o outro, é algo maior. Dessa forma, o antídoto para problemas com ego está no tripé: autoconhecimento, missão e legado. Por isso, antes de você me perguntar, eu já te digo como resolver o problema. Quem tem uma missão e quer deixar um legado, não fica voltado para si o tempo inteiro. Quem tem autoconhecimento sabe dos seus problemas e vai buscar se proteger desse hábito de estar pensando em si o tempo inteiro.

Se eu sei quem sou e aonde quero chegar, nada vai mudar a minha percepção da realidade. Tome cuidado, também, com a falta de humildade; cuidado ao achar que você é o fodão e não tem nada mais a aprender. A todo momento, em tudo que nos acontece, nós podemos aprender mais, evoluir e nos tornarmos pessoas cada vez melhores.

Ao atender milhares de empresas e empresários, me deparei com vários deles que se cercavam apenas de pessoas que concordavam e estavam ali para aplaudi-los. Isso pode parecer bom, mas pode ser muito danoso. Visitei mais de mil negócios na minha vida, e muitos desses negócios de sucesso tinham como cabeças pessoas físicas bem-sucedidas que, com o tempo, iam se cercando de pessoas que aplaudiam e concordavam com tudo. E, se você está cercado somente de pessoas assim, a chance de dar merda é enorme. Isso porque tudo o que você faz é bom, tudo o que você fala é bom, tudo que você toca fica melhor. Quem consegue se blindar disso? Você não vai conseguir se blindar e evoluir se todos ao seu redor estiverem puxando o seu saco e batendo palma.

A solução para essa questão é voltar a um estágio anterior a esse, em que você não está cercado apenas de gente assim; ou seja, é para você conviver com pessoas normais, pessoas para as quais você vai pedir uma opinião e alguém do grupo vai responder: "Baita ideia merda essa tua". Agora, quem se cerca só de pessoas aplaudindo, acostuma-se com a arrogância caso alguém discorde. Então, neste caso, a pessoa arrogante pergunta uma opinião, mas se é questionada responde: "Quem é você para questionar a minha ideia? Quem você é para me questionar? Olha quanto você ganha. Você é meu funcionário, como você quer me questionar?". E, às vezes, é um cara que está na ponta do negócio.

Já ouviu falar de pessoas que se descolam da realidade? Um exemplo são essas pessoas com um ego superinflado. Você não pode se cercar de pessoas que só vão aplaudir o que você fala. Isso é o ego falando cada vez mais alto. Nós podemos aprender com todo mundo e a todo tempo, desde que nós nos esvaziemos do nosso ego, da nossa arrogância e nos coloquemos em situação de humildade, de aprendizes. Isso se chama *life long learning*.

Tenho lido algumas coisas sobre isso, que é o conceito de você adquirir conhecimento e habilidades ao longo da vida. Nós nunca estamos prontos; se você subiu um degrau, ainda não acabou, tem mais outro. Aí você pode me perguntar: "Você não acha isso meio tenso? Não causa uma agonia? A gente sempre tem de subir um degrau?", eu não falei que sempre temos de subir, e, sim, que nós estamos sempre aprendendo. Eu não estou aqui para te causar uma angústia, apenas para te incentivar a ser cada vez melhor.

Gosto de enxergar a vida como um livro em branco em que sempre vamos aprendendo e acrescentando conhecimentos, sem limite de páginas. Portanto, a pessoa que fala: "Quem você pensa que é? Quem é você para me questionar?", é como se estivesse fechado o livro dela, pois não tem mais nada para aprender. O problema é que isso é uma puta burrice porque o seu ego está te impedindo de ir além, que é o conceito do *life long learning*, é você estar em constante aprendizado.

Há pessoas com setenta, oitenta anos aprendendo coisas novas diariamente, ainda mais com internet. Já falei várias vezes aqui, durante o livro, que as barreiras geográficas caíram, e que agora é possível aprender qualquer coisa de qualquer lugar. Por isso, qual o sentido de olhar alguma coisa e dizer: "Eu não preciso disso, já sei o suficiente"? Quem disse que você sabe o suficiente? E mesmo que você saiba o suficiente, escute, pois talvez tenha alguma coisa para te agregar.

Agora vou falar da minha experiência. Como é que eu me blindo disso? Tentando manter os pés no chão. Naturalmente e artificialmente. Eu me obrigo a manter o pé no chão. Como? Vou dar um exemplo: imagine que estou indo para os Estados Unidos agora, e posso pagar a passagem de ida e volta na 1ª classe; posso pagar hotéis de luxo, porém eu decido ir de 1ª classe e voltar de categoria normal. Eu ficarei em bons hotéis e ficarei em hotéis medianos. Por que estou fazendo isso? Porque eu não quero perder a percepção da realidade das pessoas que viajam, por exemplo. Assim como aqui no Brasil eu ainda pego metrô. As pessoas brincam: "Você não tem medo de pegar metrô?". Falo que não posso perder o conceito de andar na rua normalmente, pegar o metrô, falar com as pessoas. Você não pode se distanciar da realidade que nos cerca.

Conheço pessoas do meu nível social que me questionam em relação a isso e me criticam, pois acham que não faz sentido você ser rico e não viver como rico, que isso é uma mentalidade de pobre. Não. Essa é uma forma de você manter o contato com a realidade das pessoas. Como que você vai entender a vida de qualquer pessoa se não vai ao supermercado fazer compras? "Ah, Charles, então eu preciso ir ao supermercado todos os meses?". Não. Mas você precisa viajar em uma categoria normal, pegar metrô, fazer compras, você precisa ter uma vida normal pelo menos de vez em quando. Se você não utiliza alguns desses recursos, fica muito fora da realidade. E isso é ruim até para os negócios. Porque é importante ter uma percepção do que é a vida real.

Tem outro ponto importante a ser salientado, e que é um dos grandes problemas do Brasil em relação à política, que é o fato de que os políticos moram em Brasília, deputados, senadores, ministros, e levam uma vida muito diferente da vida do restante da população. O cara leva uma vida de rico, com casa, saúde de qualidade, segurança, andam de jatinho e aí você não entende por que as coisas não funcionam direito para a população. É muito fácil de perceber por que isso acontece, afinal a vida deles é muito fora da realidade das pessoas. Quando você fica fora da realidade, acaba perdendo a noção, e tudo isso tem a ver com o ego. Isso porque, se eles realmente quisessem resolver os problemas, deveriam fazer da forma que falei e se blindar, descer do patamar em que estão para onde as coisas acontecem, e entender como é a vida.

Esteja atento a isso, quando perceber que está apenas focado em si e na sua realidade, baixe a bola, coloque os pés no chão, lembre-se de onde você veio, não se envaideça, trabalhe duro, seja humilde, esteja sempre aberto para novos conhecimentos e aprendizados, seja honesto com você, com as suas falhas, qualidades, respeite-se e respeite o outro, desafie-se, esteja com pessoas que te provoquem, não se afaste delas porque senão vai virar uma unanimidade e toda unanimidade é burra. Junte-se a pessoas que pensam fora da caixa, que tenham algo a te agregar, que pensam diferente.

É importante ter uma diversidade de opiniões porque, quando você só tem uma ideia, você não tem como evoluir para outro lado. Tem um ditado que diz: "Dois judeus, três opiniões". Isso porque, quando você junta mais de um judeu, todo mundo tem opinião diferente e dá discussão, e é exatamente sobre pensar de forma diferente. Se todo mundo pensa igual, como que nos desenvolvemos? O ego te atrapalha, te entorpece, faz você negligenciar o básico porque te ilude com a fantasia de que você já chegou no topo, e a gente acredita que o topo não existe. E ainda uma frase diz: "Nós não somos nada, você ainda é muito pequeno diante da magnitude do mundo e do divino".

Outro ponto relacionado à política é que o ego pode te levar à corrupção, pois uma vez que você se acha melhor que os outros, mais inteligente, mais preparado, mais astuto, mais eficaz, mais esperto, você pensa que não será pego. Você acaba não possuindo esse bloqueio do medo. Por que não somos corruptos? Primeiro, por convicção, muitas vezes; e segundo, por medo. Se a pessoa não tem essa barreira do medo porque ela acredita que nada vai acontecer, ela se fragiliza. Problemas com o ego também podem gerar problemas de corrupção.

Por exemplo, o que me ajudou muito a baixar a minha bola foi adquirir autoconhecimento. Mantenha sempre a sobriedade, a normalidade na sua vida. Não pire no sucesso. Não se envaideça por suas conquistas, conforme já falamos no início deste princípio. Tenha clareza de quem você é e de quem você deseja ser. Você vai precisar disso para se proteger.

O ego pode te destruir, por isso você tem de ficar atento a ele o tempo inteiro. E uma forma de se proteger com os outros, por exemplo, é muito simples: admita que errou e peça desculpas. Agora que você já sabe que o ego pode criar uma soberba, que você pode se tornar uma pessoa, muitas vezes, intratável, você vai se proteger contra isso. Dessa forma, precisa começar, imediatamente, a pedir desculpas quando erra. O ideal é que você não erre, mas se você errar peça desculpas. E tente, a partir de agora, não interromper as pessoas. Se você disser algo e alguém quiser debater, apenas escute. Uma das coisas que podem te ajudar em relação ao ego é escutar mais. Você não é perfeito, você falha, erra, e a beleza da vida é aprender e evoluir com isso.

Dito isso tudo, tente não criar fantasias em relação a si próprio. Nós somos humanos e faz parte da nossa natureza projetar as coisas que desejamos. Eu mesmo falo em projeção, que carro quero ter, que casa quero comprar, a qualidade de vida que quero dar para a minha família. Entretanto, estou falando para você tentar não se projetar como um super-herói. Você pode projetar as coisas boas da vida, inclusive essa é uma prática saudável. "Poxa, quero daqui a cinco anos ter aquela casa", bacana. Agora projetar que você é alguém que você não é, e aliás, alguém que você nem deveria querer ser, é errado. Entendeu? Todo mundo conhece um chefe babaca. O grande problema é que a maior parte das pessoas quer ser esse chefe e acaba se tornando um babaca também.

O ego pode, ainda, causar um grande problema: não evoluir. Por que você não evolui? Porque você não pede ajuda, porque você se acha bom demais. Quantas pessoas conheço que deixaram de estudar, de fazer um curso, alguma coisa porque tem aquele "já sei das coisas" na ponta da língua? Então você vai ter um bloqueio.

Se o ego estiver inflado, tudo vai por água abaixo, porque isso vai começar a alimentar partes doentias de si com o recurso do dinheiro. E a queda é grande. Podemos ver isso em relação às redes sociais, por exemplo. Existem influenciadores que crescem, conquistam milhões de seguidores, mas começam a mentir porque não querem deixar de alimentar o ego de maneira desordenada. Conheço até o caso de uma blogueira que se dizia vegana, então ela ficou doente e, pelo estilo de vida que levava, foi obrigada a mudar a alimentação. O problema é que ela não contou para os seguidores, e passou a fazer tudo escondido. Obviamente, no caso de uma pessoa com milhões de seguidores, alguém vai descobrir. As pessoas descobriram e ela foi obrigada a falar a verdade. Mas a questão é: por que ela não falou a verdade? Ego.

Há outro caso parecido de um blogueiro que conquistara um alto ganho de massa muscular. Ele alegava que não tomava nenhum tipo de suplemento, até descobrirem que ele tomava sim. Por que ele não falou a verdade? Ego mais uma vez. Logo, a mesma força que faz as pessoas subirem também as derruba, porque conforme vamos subindo em relação à carreira, dinheiro, tudo, é como se alguém estivesse bombeando o seu ego. Para se blindar disso, você tem de fazer um furo e deixar esvaziar, ter uma válvula de escape.

Parece meio contraditório, mas é importante pensarmos no Eu, no ego. O único problema é o quanto você está pensando só em si mesmo.

Como já disse algumas vezes neste livro, é importante você se conhecer, saber das suas origens, de onde você veio, e, principalmente, aonde você quer chegar. Agora, qual o problema de conhecer muito de onde você veio? Nem sempre você veio de um lugar bacana, mas você sabe aonde quer chegar. Você não muda de onde você veio, mas muitas vezes você veio de um lugar legal, você tem de lembrar também. Caso você não tenha vindo de um lugar legal, você pode projetar aonde quer chegar. Se você conhecer essas suas partes, ou uma ou outra pelo menos, dificilmente o ego vai te pegar, porque você se conecta com a sua missão. Pô, se quero ser um grande educador financeiro do Brasil, transformando a vida de milhares de pessoas, mas trato alguém com arrogância e sou babaca com ele, acabou, não tem mais missão nem propósito, não tem nada.

O autoconhecimento favorece isso. É quase impossível encontrar alguém que tem autoconhecimento, já passou por diversos problemas, mas tem autocontrole, sabe qual a sua missão, seu propósito, e tem problemas com o ego ou destrata todo mundo. Pô, se alguém tem tudo isso, mas é arrogante, então, na verdade, ele não tem missão, propósito nem valor. Ele está mentindo. Agora, por isso que falo que é essencial conhecermos nossa história e quem nós somos.

Como contei logo no início deste livro, tive uma referência muito importante familiar que foi o meu avô. Ele me deu muita bagagem cultural. Mas se eu não tivesse, projetaria aonde eu quero chegar de qualquer maneira, e essa atitude iria me ajudar. Porém, tem muitas pessoas que vieram de um lar destruído, e é aí que está a importância de ressignificar, que é uma parte do processo de autoconhecimento.

Existe um livro chamado *Em busca de sentido*, que ficou bem conhecido até porque o autor viveu em um campo de concentração, e lá, ele chegou à conclusão de que quem perdia o sentido da vida, morria. Era uma vida tão dura que se você não tivesse algum sentido, não pensasse na família, você não sobrevivia. Por isso, há relatos de pessoas que se apegavam até mesmo a alguma função. Por exemplo, um homem que cortava a lenha no campo de concentração. Só de você se apegar ao sentido daquilo ali, você ficava vivo. Mas quando você abandonava aquele sentido, você morria por algum fator, como inanição. É importante salientar que essas pessoas comiam cem, duzentos gramas de comida por dia; duzentos gramas é a quantidade calórica para o cara apenas ficar vivo como um graveto, mas quem tinha um sentido vivia um pouco melhor.

Tem outra história, que não pertence a esse livro, mas trata de um campo de concentração misto. Havia um homem que sempre via o outro trabalhando bem, feliz, ajudava muito todo mundo, e ele achava aquilo estranho, ainda mais em um campo de concentração. Todo mundo apanhava, não tinha o que comer, mas aquele homem trabalhava feliz. Ele observava aquele cara e pensava: "Porra, como aquele cara consegue ter esse tipo de atitude aqui, num lugar com toda essa barbárie, com todo mundo sendo assassinado e tal, e ele ainda consegue ajudar os outros?". Então, ele começou a observar o cara e descobriu que, todo dia de manhã, ele pegava uma sacola, entrava no banheiro, ficava cinco minutos, e saía do banheiro com essa mesma sacola. Ele ficou olhando constantemente aquela situação até que um dia resolveu abordar o sujeito: "Pô, eu percebo que você tem um comportamento diferente aqui, e eu também já saquei que você entra todo dia no banheiro por cinco minutos, fica sozinho e volta. O que está acontecendo?". E ele respondeu: "Eu sou um general da Lituânia que foi preso aqui na guerra com vocês. Mas quando fui preso, eu pedi que me deixassem trazer o meu uniforme. Então, todo dia pela manhã, eu levo o meu uniforme para o banheiro, visto o meu uniforme, me olho no espelho durante cinco minutos e lembro de quem eu sou. Eu não sou um prisioneiro que está vivo aqui, eu sou um general na Lituânia. Eu sou muito mais do que isso. Eu vou sobreviver. Então eu me sinto diferente".

Essa é uma história foda porque, mesmo no momento mais difícil da vida, vivendo uma realidade deplorável em que pessoas eram mortas ali, aquele homem não mudou o seu comportamento. Ele sabia quem era. Por isso, mesmo que você esteja em uma situação ruim, é importante nos lembrarmos de quem somos, de onde viemos e aonde queremos chegar. Uma situação que já vivenciei muito, e penso que se encaixe muito nisso, é quando você perde o emprego. É tão duro perder o emprego que você não quer sair na rua, não quer encontrar ninguém, não quer ir aos eventos de família... Afinal, todos vão te perguntar a mesma coisa: "Você já arrumou emprego? Como que está? Você já viu aquela oportunidade? E tal site? Já viu aquele anúncio...?". Às vezes as pessoas querem até ajudar, mas não é isso que realmente vai te reerguer.

Voltando à questão do legado, ainda há pessoas que não precisam, necessariamente, pensar nisso, e mesmo assim conseguem controlar o ego. Vou dar um exemplo, tem pessoas que não têm tempo para pensar no legado; às vezes o sujeito acabou de casar, tem dois filhos, está cheio de conta para pagar, quer ser promovido e ainda tem que fazer um MBA online à noite... Esse cara está com tanta coisa na vida dele, tantos desafios, tantos problemas, que muitas vezes ele não está pensando no legado. Mas um cara com uma vida dessa, provavelmente, também, não vai passar por um problema de ego porque ele já está sendo bombardeado por coisas que o vão colocando "no seu devido lugar".

A essa altura do campeonato, já chegamos à conclusão de que todo mundo pode ter problema de ego, mas, normalmente, esse é um problema maior para quem está melhorando um pouco de vida, e está se cercando apenas de pessoas que concordam com tudo. Mas aí é importante salientarmos que não é só uma pessoa bem-sucedida que tem problemas com o ego. Todo mundo conhece alguém que, mesmo não tendo condições, trata as pessoas mal, não dá "bom-dia" para ninguém.

Quando você passa a ser bem-sucedido, se você começar a pensar de preferência sobre qual legado quer deixar, isso vai evitar que o ego te atrapalhe. Se quero deixar na Terra um legado de educação financeira, materiais gratuitos para as pessoas, com vídeos, livros, com uma série de benefícios para o mundo, isso já vai ser quase que um escudo contra o ego.

"Ah, não, eu estou cagando para o legado. Para mim não tem legado nenhum, vou trabalhar como se não houvesse o amanhã, não quero deixar nada para ninguém." Bom, se você não quer deixar nada para ninguém e está cagando para tudo, olha como você está deixando uma portinha, ou no mínimo uma janela, aberta para o ego te atrapalhar.

Se você prestar atenção nesse tripé formado pelo autoconhecimento, missão e legado, é praticamente impossível ter algum problema de ego. Porque o ego, que seria o eu, vai estar no lugar certo. Você vai pensar em você, mas em você criando algo positivo, com uma boa intenção. Por exemplo, não imagino alguém deixando um legado positivo na Terra tratando os outros mal.

Este princípio está como último neste livro justamente porque quem está cheio de problema na vida não tem que começar essa jornada se preocupando com o ego. Você vai começar por autoconhecimento, seguirá por autorresponsabilidade, e então passará por uma série de aprendizados antes de chegar no ego. Começar a pensar no ego para resolver os problemas da sua vida é como um sujeito que comprou um terreno, está pensando na construção da casa e a primeira coisa que ele compra é a cortina. Não faz sentido, porque tem outras coisas para você ver primeiro na construção da sua casa: tem o pilar, o tijolo, a massa, os alicerces da casa...

Não estou dizendo que quem está numa situação de vida mais desfavorável não precisa pensar no ego. Não é isso. Mas é que, normalmente, quanto mais a sua vida vai prosperando, mais você é tentado e corre o risco de deixar isso subir para a cabeça e sofrer com egoísmo.

Quem você acha que vai ter um problema maior de ego? Alguém que está começando a ganhar a vida, começando a ganhar dinheiro, pensando em casar, ou um empresário bem-sucedido, com império financeiro, com vários funcionários puxando o saco, com a sociedade em cima, conhecido nacionalmente?

Você tem de se olhar no espelho e se lembrar de que essa situação é passageira, que não é essa situação que te define.

É óbvio, os dois podem ter problema de ego, mas não estou tratando da exceção da exceção, e, sim, da regra. A regra é o que mais vemos nas pessoas e, geralmente, o ego ataca pessoas que lidam com muito dinheiro. Mas, pior do que isso, o ego ataca principalmente quem não possui o autoconhecimento de equilibrar o nosso "eu interior".

Epílogo

Aproveite o caminho. De todas as coisas que eu poderia registrar para ficarem gravadas no final deste meu primeiro livro, essa de longe é a mais importante.

Quando iniciei o processo de escrita desta obra, a minha preocupação não estava em revelar o caminho mais rápido em direção à conquista do pote de ouro ao final do arco-íris, ou seja, a recompensa, o que aliás tem sido cada vez mais comum em meio às pressões do mundo imediatista de hoje.

A ideia de trazer os dezoito princípios que você acabou de ler foi exatamente para que você percebesse que o mais essencial quando se fala em sucesso é o ato de desfrutar a jornada que nos leva a chegar a um lugar que almejamos.

Nesse sentido, tenho certeza de que muitas pessoas ficariam muito mais felizes, gratas, satisfeitas e se sentiriam mais realizadas se todos os dias elas olhassem o que está acontecendo ao seu redor, e não só voltassem os olhos para a porra do pote de ouro no final do arco-íris. Cara, qual é o sentido de sair desesperado, atropelando tudo com planos mirabolantes para ficar rico muito rapidamente, mal reconhecer toda a estrada que teve que percorrer para se chegar a isso, ou pior, desistir antes mesmo de completar a jornada?

Com frequência recebo mensagens de pessoas contando que abriram seus próprios canais do Youtube, gravaram vídeos por três meses, mas em seguida pararam com o canal porque não estavam suportando o fato de não terem visualizações. Então o que a pessoa quer? Ela cria um canal do Youtube e logo já quer ter milhares de visualizações, ou entra num trabalho novo e já quer o lugar do diretor, ou escreveu o primeiro livro e já quer que seja o melhor best-seller de todos.

Tudo isso é muito legal e está tudo bem querer o melhor, mas o problema é que as pessoas não estão curtindo nada durante cada processo desses. O cara que está lá no Youtube, em vez de curtir que montou um cenário bacana, comprou uma câmera nova, e está gerando um puta conteúdo legal, está na realidade se consumindo por ainda não ter conquistado a plaquinha de cem mil *views*!

Por alguma razão temos sido educados apenas para comemorar quando chega a recompensa final, porém à medida que isso acontece as pessoas vão esquecendo que em todo o processo de busca pela recompensa há vários potes de ouro ao longo da caminhada. Quando eu estava fazendo a peregrinação no Caminho de Santiago de Compostela, por exemplo, eu não chorei compulsivamente quando cheguei na Catedral da cidade, no último dia, mas chorei várias vezes durante o caminho, porque eu curti e vivenciei aquela viagem inteira. Eu amei aquele processo.

É por isso que a falta de atenção à beleza do caminho faz com que deixemos de amar o processo, pois ficamos desatentos ao que está acontecendo e queremos nos livrar desesperadamente dos problemas que estão surgindo no meio do caminho, pois nessa hora só nos vemos no olho do furacão. Mas apesar de soar estranho, muitos problemas podem ser grandes oportunidades que nos levam a algo muito melhor.

Contei neste livro, por exemplo, o meu problema com meu sobrepeso, trinta quilos a mais para ser exato; contei do meu problema com uma puta insatisfação quando me vi sem emprego, sem os resultados pessoais e profissionais que queria alcançar, além de estar completamente frustrado. E ainda não bastando falar sobre os problemas dos anos mais recentes, contei como no início da minha vida adulta estava todo fodido de grana, tendo que trancar a faculdade, para voltar somente dois anos depois em relação à minha turma; e por fim contei do problema que foi ao ingressar nas redes sociais, ter quase nada de visualizações por um ano inteiro praticamente, e mesmo assim continuar fazendo, e buscando a melhoria constante. Para você ter uma ideia, quando iniciei meu podcast, apenas oito pessoas me escutavam. E mesmo assim eu continuei. Fui estudando, melhorando, perguntando o que as pessoas gostavam, e dois anos depois, vinte mil pessoas escutavam o meu podcast, conseguimos chegar ao topo da lista, sendo o Podcast Top 1 de negócios no Spotify em Agosto de 2023, imaginem se eu tivesse desistido em 2018.

Amar o processo evolutivo, isto é, toda a caminhada que fazemos neste mundo em direção a um propósito, missão, legado, ou simplesmente viver a vida da melhor maneira possível é a única forma de aproveitar o caminho e, enfim, dar um real significado para tudo o que fazemos.

Em cada uma dessas fases da vida em que me deparei com problemas eu poderia ter ficado frustrado, reclamando que ninguém está nem aí com porra nenhuma, encolhido em posição fetal e não levantar do lugar, condenando a minha vida a um completo fracasso. Mas em vez disso eu me pus a caminhar e saí em busca de descobrir o que eu poderia fazer de diferente para então alcançar os resultados que tenho hoje.

Voltando ao exemplo do canal do Youtube, quando você começa a trabalhar com isso, descobre vários problemas que você não fazia ideia de que existiam, mas daí você começa a pesquisar e vê que outras pessoas também passaram por isso, e logo você vai resolvendo e a coisa vai acontecendo. Então quando você finalmente chega nos cem mil *inscritos*, você vai comemorar muito mais do que aquela pessoa que só se preocupou em chegar nessa marca.

Quando eu abri o canal, assim como acontece com a maioria, ele não explodiu logo de cara. Mas isso não representou um problema para mim, e sabe por quê? Porque eu simplesmente decidi amar o processo. A cada dificuldade que eu superava, vídeo novo que eu subia, qualidade do material que eu trazia, mesmo que tivesse uma dúzia de visualizações apenas, eu me sentia feliz e agradecido. Ter dificuldades num primeiro momento é terrível, mas com certeza todas elas te tornarão muito mais forte.

E para você que leu o meu livro, vou repetir para não esquecer: você precisa amar o processo, entender que tudo isso é necessário e faz parte da evolução. Sabe por quê? Porque, no final das contas, é tudo sobre o caminho. Não importa se o resultado de X milhões será alcançado ou não, até porque se der errado você aprendeu muito no caminho. Se você aprende muito durante o processo, você segue fazendo, ou seja, não paralisa diante da primeira dificuldade.

Entenda, portanto, que a caminhada já é a maior recompensa. Além disso, quando estamos fazendo aquilo que nos traz sentido, continuamos na caminhada a todo custo, porque estamos vivendo na recompensa. Um

Muitas vezes a gente não entende que ter dificuldades torna a vitória muito melhor.

exemplo disso é quando estamos em uma empresa, na qual passamos uns dois anos trabalhando, e então somos desligados, mas em seguida entramos em outra empresa ainda mais foda e somos promovidos. Nesse ponto não temos de nos lamentar dizendo que nossa história não deu certo na primeira empresa, mas sim que nosso processo nela ainda não tinha acabado. Aliás, não necessariamente o processo pelo qual teremos que passar será em um único lugar, pois ele vai se desenrolando ao longo da vida.

Com o amadurecimento, passamos a entender a relação do tempo e por que as coisas não acontecem na velocidade nem da forma como a gente quer. Agora, o jeito que vamos reagir a isso vai fazer toda a diferença, pois o que já vimos lá atrás na nossa história como algo que nos atrasou o lado, pode ser um baita ensinamento que permitiu você avançar como jamais imaginaria ser possível.

Para encerrar, não peço que você que está terminando de ler este livro entenda exatamente tudo que disse aqui, mas peço apenas que pense nesses princípios quando as coisas estiverem dando errado. Será que realmente está dando errado ou é apenas uma mudança de rota, que está exigindo que você tenha uma forma diferente de ver as coisas daqui em diante?

Os 18 princípios que você acabou de conhecer não são um teste de laboratório da sua vida; na realidade, eles foram sendo testados na minha vida e também percebi que todos eles acontecem na vida das pessoas de sucesso, e inclusive estão sendo ainda consolidados na minha própria jornada, porque ainda tem muita coisa para acontecer na minha vida. Mas o que considero mais importante já aconteceu para mim, que consiste em não querer entender tudo, reconhecer que as coisas fazem parte de um processo, de que preciso aproveitar todos os momentos da vida, vivenciar a jornada e não pensar só no pote de ouro no final do arco-íris, pois o sentido da evolução está, enfim, em amar o processo.

Espero que você já comece agora mesmo a incorporar na sua vida um a um dos princípios aqui propostos, se é que já não começou, e lembre-se de seguir com disciplina e consistência e principalmente aproveitando o caminho!